Sudoku

Best Puzzle Fun—EVER!

#1

Published by Playmore Inc., Publishers, 230 Fifth Avenue, New York, N.Y. 10001 and Waldman Publishing Corp., 570 Seventh Avenue, New York, N.Y. 10018

Copyright© MMV Playmore Inc., Publishers and Waldman Publishing Corp., New York, New York

The Playmore/Waldman® is a registered trademark of Playmore Inc., Publishers and Waldman Publishing Corp., New York, New York

Printed in Canada

Sudoku tips:

The sudoku in this book are arranged from easiest to hardest to keep them challenging and fun. Once you get started, you won't be able to put them down! So sharpen your pencil and let's get started.

Sudoku puzzles have nine spaces across, nine spaces down and nine boxes of nine spaces within each.

When a sudoku is solved, the numbers 1 through 9 will appear in each row, column and box—but only once—and not in any particular order.

Numbers are clues and each puzzle comes with some numbers already filled in. Begin solving the sudoku by seeing which numbers already appear in each row, column and box and, using logic, fill in the numbers that are missing. The more numbers you fill in, the easier it gets to find the rest.

SUDOKU #1

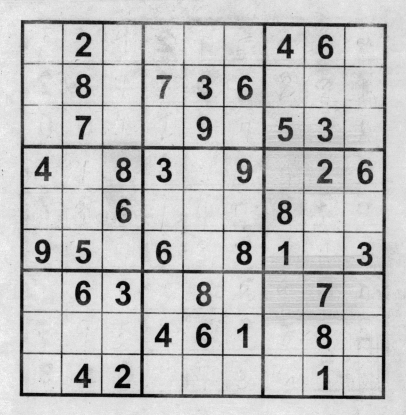

	2					4	6	
	8		7	3	6			
	7			9		5	3	
4		8	3		9		2	6
		6				8		
9	5		6		8	1		3
	6	3		8			7	
			4	6	1		8	
	4	2					1	

easy

SUDOKU #2

4		5			2		1	
7				5	1	4		2
		3		4	7		5	6
	4				3			
5	3	2				1	8	7
			5				6	
3	6		7	8		2		
2		4	6	3				1
	7		2			6		3

easy

SUDOKU #3

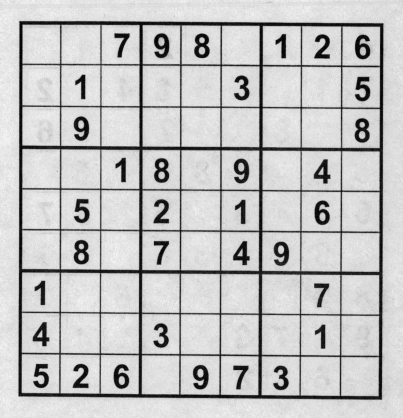

		7	9	8		1	2	6
	1				3			5
	9							8
		1	8		9		4	
	5		2		1		6	
	8		7		4	9		
1							7	
4			3				1	
5	2	6		9	7	3		

easy

SUDOKU #4

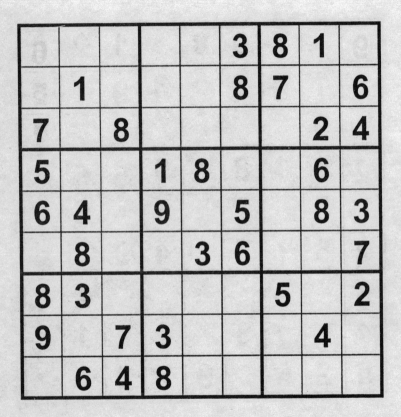

					3	8	1	
	1				8	7		6
7		8					2	4
5			1	8			6	
6	4		9		5		8	3
	8			3	6			7
8	3					5		2
9		7	3				4	
	6	4	8					

easy

SUDOKU #5

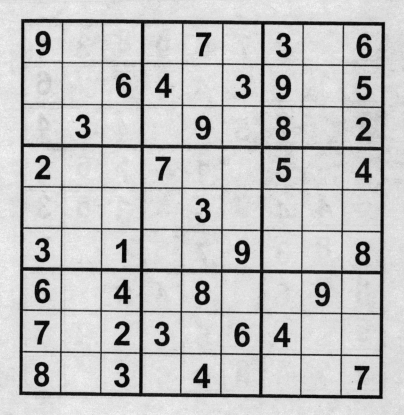

9				7		3		6
		6	4		3	9		5
	3			9		8		2
2			7			5		4
				3				
3		1			9			8
6		4		8			9	
7		2	3		6	4		
8		3		4				7

easy

SUDOKU #6

		8	7	6	9		3	1
3				4				7
		7	5			4		2
				1		7		4
	1	4				3	2	
9		3		7				
5		6			4	9		
1				5				6
4	7		3	9	6	8		

easy

SUDOKU #7

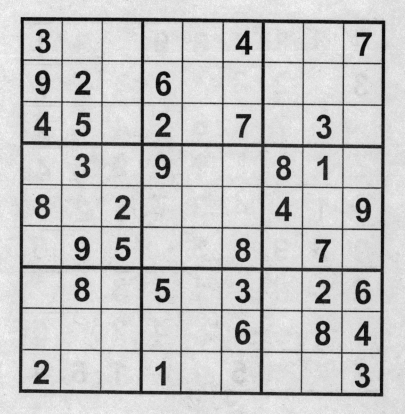

3					4			7
9	2		6					
4	5		2		7		3	
	3		9			8	1	
8		2				4		9
	9	5			8		7	
	8		5		3		2	6
					6		8	4
2			1					3

easy

SUDOKU #8

4	3	1			9			
5		2	8				7	
		7		6				2
7				9		5	3	
1			4	3	7			9
	8	9		5				6
2				1		3		
	1				4	2		5
			5			1	6	4

easy

SUDOKU #9

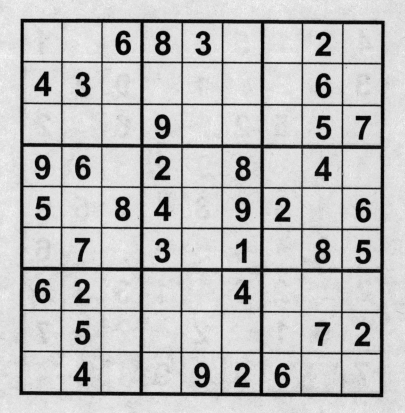

		6	8	3			2	
4	3						6	
			9				5	7
9	6		2		8		4	
5		8	4		9	2		6
	7		3		1		8	5
6	2				4			
	5						7	2
	4			9	2	6		

easy

SUDOKU #10

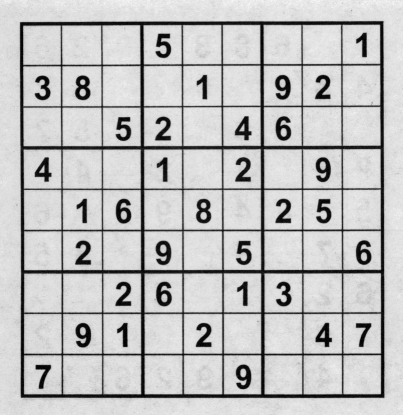

			5					1
3	8			1		9	2	
		5	2		4	6		
4			1		2		9	
	1	6		8		2	5	
	2		9		5			6
		2	6		1	3		
	9	1		2			4	7
7					9			

easy

SUDOKU #11

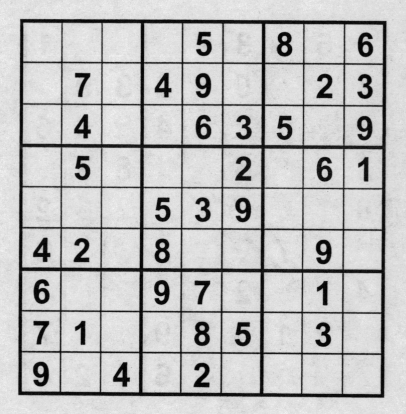

				5		8		6
	7		4	9			2	3
	4			6	3	5		9
	5				2		6	1
			5	3	9			
4	2		8				9	
6			9	7			1	
7	1			8	5		3	
9		4		2				

easy

SUDOKU #12

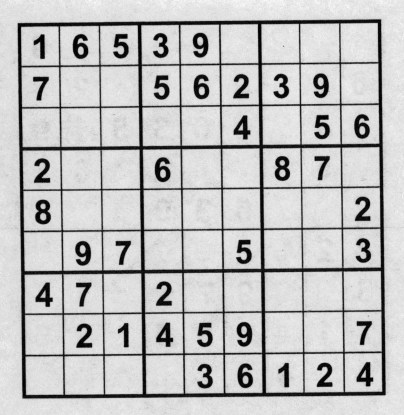

1	6	5	3	9				
7			5	6	2	3	9	
					4		5	6
2			6			8	7	
8								2
	9	7			5			3
4	7		2					
	2	1	4	5	9			7
				3	6	1	2	4

easy

SUDOKU #13

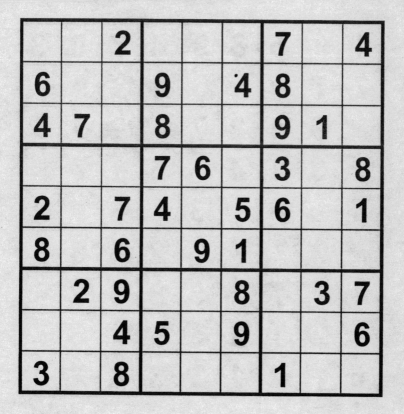

		2				7		4
6			9		4	8		
4	7		8			9	1	
			7	6		3		8
2		7	4		5	6		1
8		6		9	1			
	2	9			8		3	7
		4	5		9			6
3		8				1		

easy

SUDOKU #14

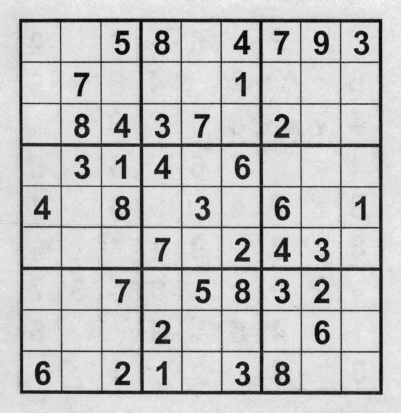

		5	8		4	7	9	3
	7				1			
	8	4	3	7		2		
	3	1	4		6			
4		8		3		6		1
			7		2	4	3	
		7		5	8	3	2	
			2				6	
6		2	1		3	8		

easy

SUDOKU #15

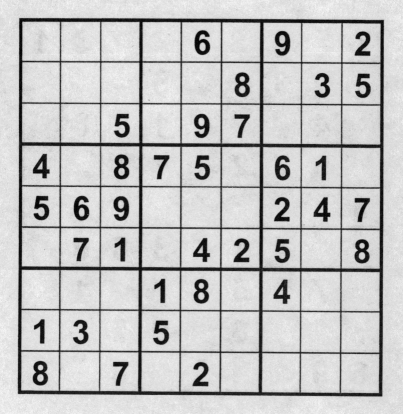

				6		9		2
					8		3	5
		5		9	7			
4		8	7	5		6	1	
5	6	9				2	4	7
	7	1		4	2	5		8
			1	8		4		
1	3		5					
8		7		2				

easy

SUDOKU #16

7		2		8			3	1
		3	9		5			
	4				1		8	
	6	7	2		4	1		
3								2
		4	1		3	8	6	
	7		5				1	
			8		9	7		
6	9			1		4		8

easy

SUDOKU #17

	9		5		7	3	6	
		2		3		1		
6					4		5	2
	2		4	6		9		1
		9				5		
5		4		9	3		8	
2	8		1					9
		5		7		6		
	7	6	3		2		1	

easy

SUDOKU #18

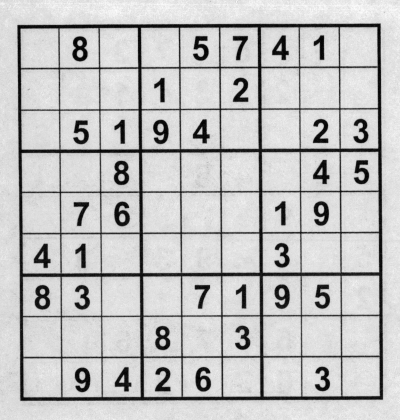

	8			5	7	4	1	
			1		2			
	5	1	9	4			2	3
		8					4	5
	7	6				1	9	
4	1					3		
8	3			7	1	9	5	
			8		3			
	9	4	2	6			3	

easy

SUDOKU #19

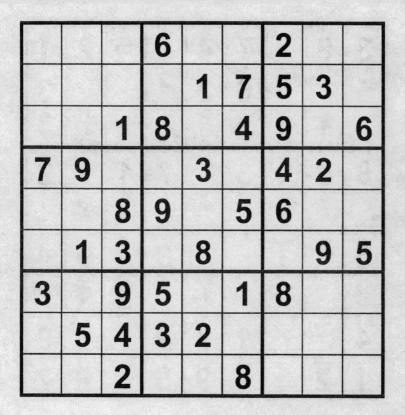

			6			2		
				1	7	5	3	
		1	8		4	9		6
7	9			3		4	2	
		8	9		5	6		
	1	3		8			9	5
3		9	5		1	8		
	5	4	3	2				
		2			8			

easy

SUDOKU #20

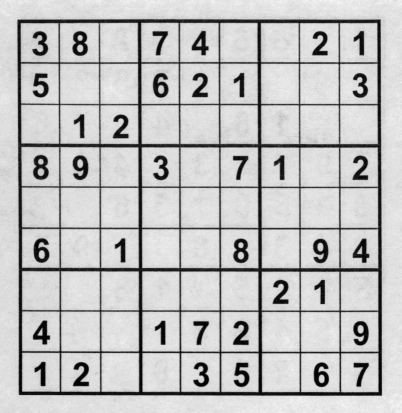

3	8		7	4			2	1
5			6	2	1			3
	1	2						
8	9		3		7	1		2
6		1			8		9	4
						2	1	
4			1	7	2			9
1	2			3	5		6	7

easy

SUDOKU #21

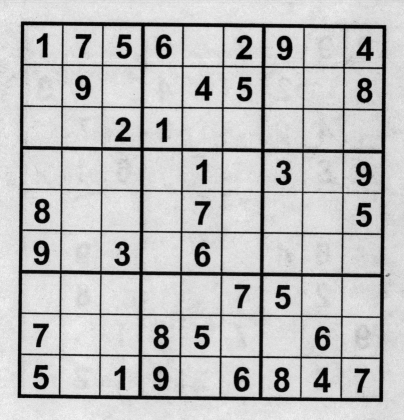

1	7	5	6		2	9		4
	9			4	5			8
		2	1					
				1		3		9
8				7				5
9		3		6				
					7	5		
7			8	5			6	
5		1	9		6	8	4	7

easy

SUDOKU #22

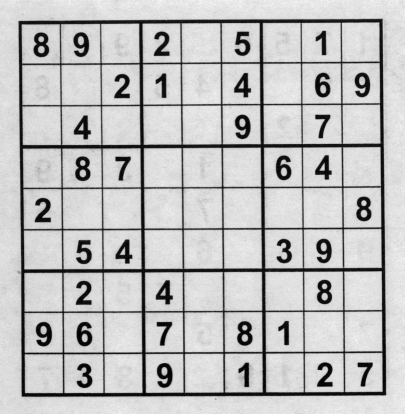

8	9		2		5		1	
		2	1		4		6	9
	4				9		7	
	8	7				6	4	
2								8
	5	4				3	9	
	2		4				8	
9	6		7		8	1		
	3		9		1		2	7

easy

SUDOKU #23

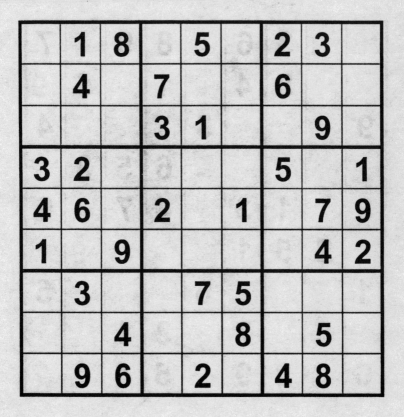

	1	8		5		2	3	
	4		7			6		
			3	1			9	
3	2					5		1
4	6		2		1		7	9
1		9					4	2
	3			7	5			
		4			8		5	
	9	6		2		4	8	

easy

SUDOKU #24

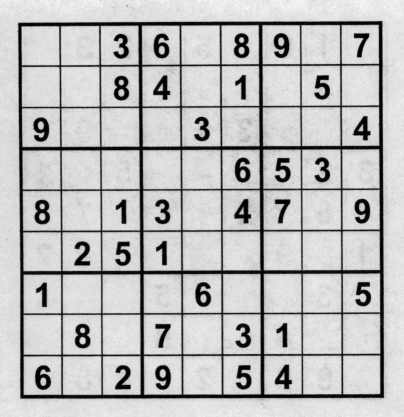

		3	6		8	9		7
		8	4		1		5	
9				3				4
					6	5	3	
8		1	3		4	7		9
	2	5	1					
1				6				5
	8		7		3	1		
6		2	9		5	4		

easy

SUDOKU #25

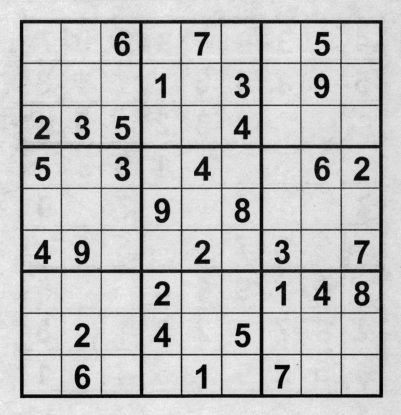

		6		7			5	
			1		3		9	
2	3	5			4			
5		3		4			6	2
			9		8			
4	9			2		3		7
			2			1	4	8
	2		4		5			
	6			1		7		

easy

SUDOKU #26

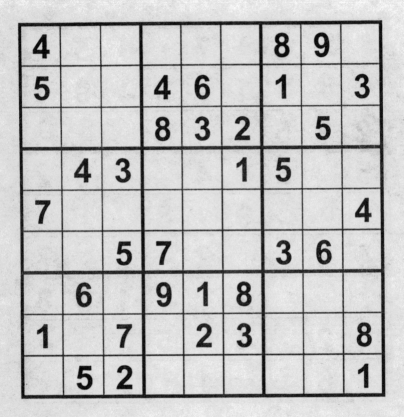

4						8	9	
5			4	6		1		3
			8	3	2		5	
	4	3			1	5		
7								4
		5	7			3	6	
	6		9	1	8			
1		7		2	3			8
	5	2						1

easy

SUDOKU #27

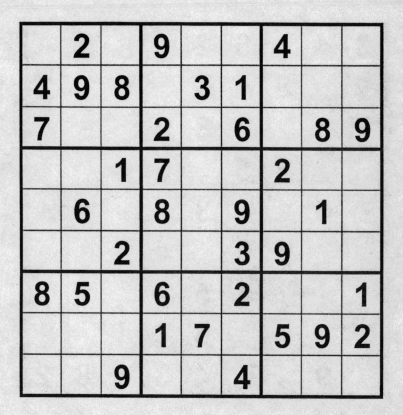

	2		9			4		
4	9	8		3	1			
7			2		6		8	9
		1	7			2		
	6		8		9		1	
		2			3	9		
8	5		6		2			1
			1	7		5	9	2
		9			4			

easy

SUDOKU #28

3	4		6	2			1	
		8		7		9		
7	1		3	8	9			
		2	5		6	4		
	6			3			5	
		1	8		4	3		
			1	5	2		9	7
		7		6		1		
	9			4	3		8	2

easy

SUDOKU #29

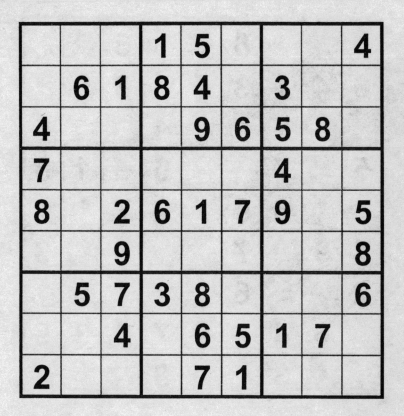

			1	5				4
	6	1	8	4		3		
4				9	6	5	8	
7						4		
8		2	6	1	7	9		5
		9						8
	5	7	3	8				6
		4		6	5	1	7	
2				7	1			

easy

SUDOKU #30

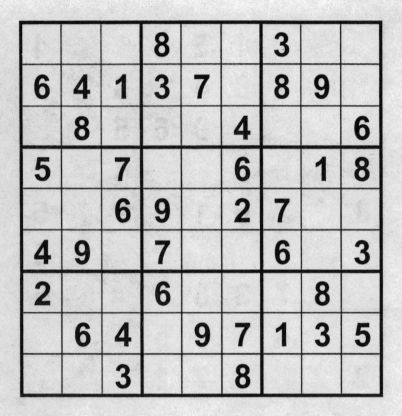

			8			3		
6	4	1	3	7		8	9	
	8				4			6
5		7			6		1	8
		6	9		2	7		
4	9		7			6		3
2			6				8	
	6	4		9	7	1	3	5
		3			8			

easy

SUDOKU #31

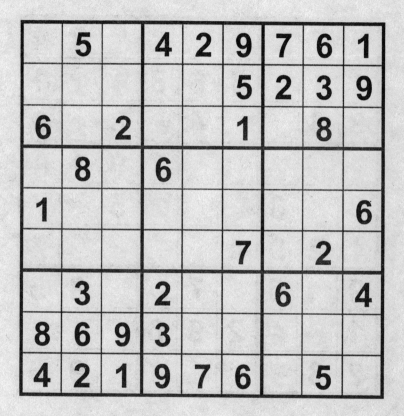

	5		4	2	9	7	6	1
					5	2	3	9
6		2			1		8	
	8		6					
1								6
					7		2	
	3		2			6		4
8	6	9	3					
4	2	1	9	7	6		5	

easy

SUDOKU #32

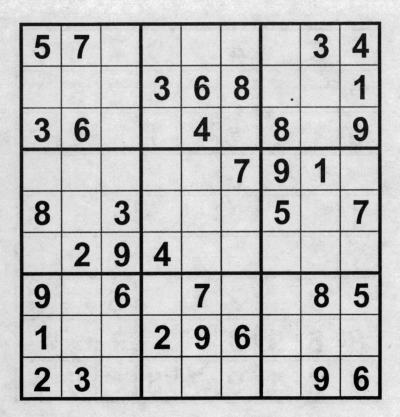

5	7						3	4
			3	6	8			1
3	6			4		8		9
					7	9	1	
8		3				5		7
	2	9	4					
9		6		7			8	5
1			2	9	6			
2	3						9	6

easy

SUDOKU #33

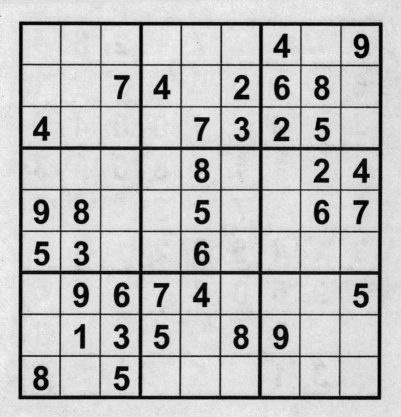

						4		9
		7	4		2	6	8	
4				7	3	2	5	
				8			2	4
9	8			5			6	7
5	3			6				
	9	6	7	4				5
	1	3	5		8	9		
8		5						

easy

SUDOKU #34

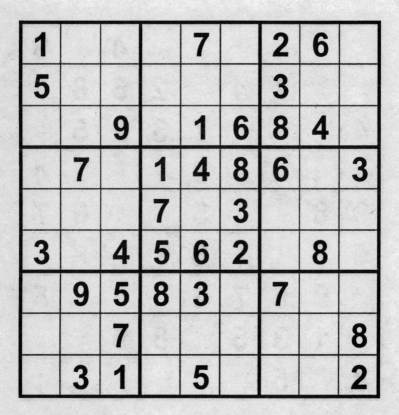

1				7		2	6	
5						3		
		9		1	6	8	4	
	7		1	4	8	6		3
			7		3			
3		4	5	6	2		8	
	9	5	8	3		7		
		7						8
	3	1		5				2

easy

SUDOKU #35

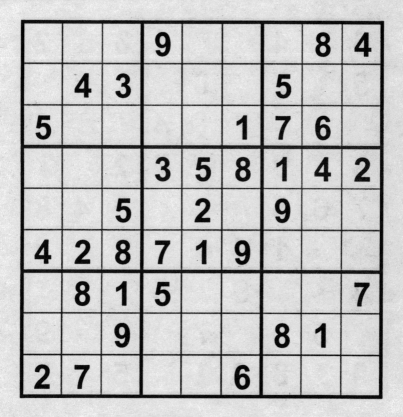

			9				8	4
	4	3				5		
5					1	7	6	
			3	5	8	1	4	2
		5		2		9		
4	2	8	7	1	9			
	8	1	5					7
		9				8	1	
2	7				6			

easy

SUDOKU #36

6		4			1	3		2
5		7		8			9	
			7		4			6
3		9			7	2		
7	6	5				9	4	8
		1	4			7		3
4			9		5			
	5			7		4		9
9		8	3			5		7

easy

SUDOKU #37

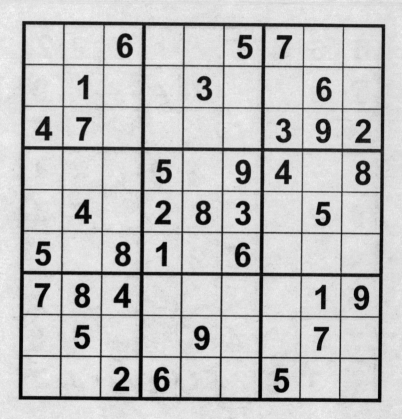

		6			5	7		
	1			3			6	
4	7					3	9	2
			5		9	4		8
	4		2	8	3		5	
5		8	1		6			
7	8	4					1	9
	5			9			7	
		2	6			5		

easy

SUDOKU #38

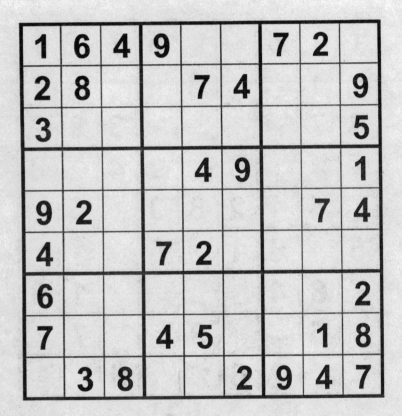

1	6	4	9			7	2	
2	8			7	4			9
3								5
				4	9			1
9	2						7	4
4			7	2				
6								2
7			4	5			1	8
	3	8			2	9	4	7

easy

SUDOKU #39

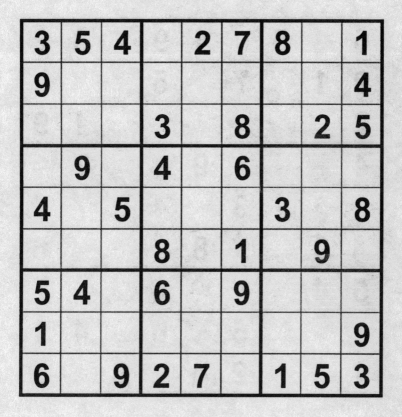

3	5	4		2	7	8		1
9								4
			3		8		2	5
	9		4		6			
4		5				3		8
			8		1		9	
5	4		6		9			
1								9
6		9	2	7		1	5	3

easy

SUDOKU #40

6		5		1	9		3	2
9	1		7		5			
2							1	9
4				9			7	
		1	3		4	9		
	9			8				6
5	4							7
			5		6		4	1
1	3		2	4		6		5

easy

SUDOKU #41

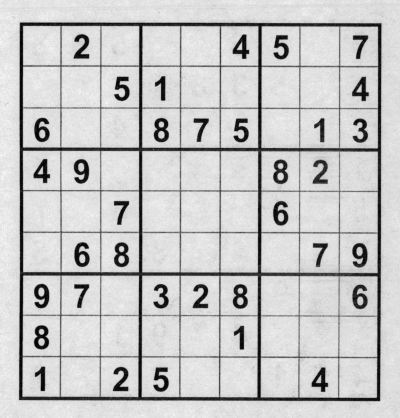

	2				4	5		7
		5	1					4
6			8	7	5		1	3
4	9					8	2	
		7				6		
	6	8					7	9
9	7		3	2	8			6
8					1			
1		2	5				4	

easy

SUDOKU #42

9			6			5	8	3
		5	3	8	1			
						4		
1	8		5				2	4
5		4				8		7
7	2				8		1	5
		9						
			4	7	9	1		
4	5	1			3			2

easy

SUDOKU #43

		5	3		9		8	
			8		7	9		1
						5	7	
8	9	1		7		3	5	4
	6			3			2	
4	3	2		9		1		7
	5	9						
6		3	7		5			
	1		9		6	4		

easy

SUDOKU #44

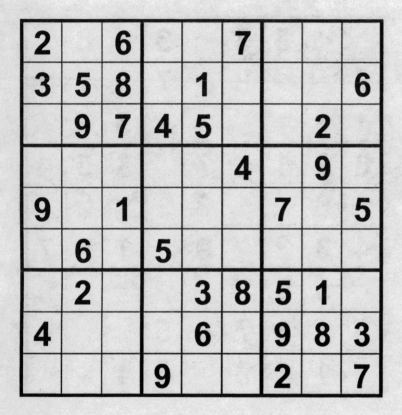

2		6			7			
3	5	8		1				6
	9	7	4	5			2	
					4		9	
9		1				7		5
	6		5					
	2			3	8	5	1	
4				6		9	8	3
			9			2		7

easy

SUDOKU #45

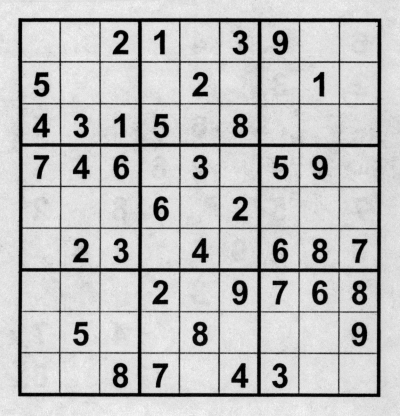

		2	1		3	9		
5				2			1	
4	3	1	5		8			
7	4	6		3		5	9	
			6		2			
	2	3		4		6	8	7
			2		9	7	6	8
	5			8				9
		8	7		4	3		

easy

SUDOKU #46

6		8	7	4				
2		3						4
				6	8			5
	4	9		2	6	5	7	3
7		5				8		2
8	3	2	9	7		1	4	
4			5	8				
3						4		7
					1	9		8

easy

SUDOKU #47

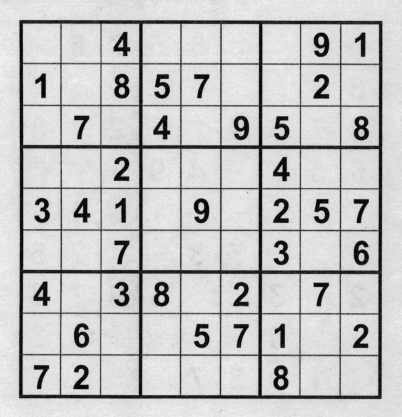

		4					9	1
1		8	5	7			2	
	7		4		9	5		8
		2				4		
3	4	1		9		2	5	7
		7				3		6
4		3	8		2		7	
	6			5	7	1		2
7	2					8		

easy

SUDOKU #48

				8	5	7	6	
5						9		
4	7	6	9			2		8
6	5			4	9			
	8						1	
			7	3			2	5
2		3			1	8	7	6
		5						3
	1	9	3	7				

easy

SUDOKU #49

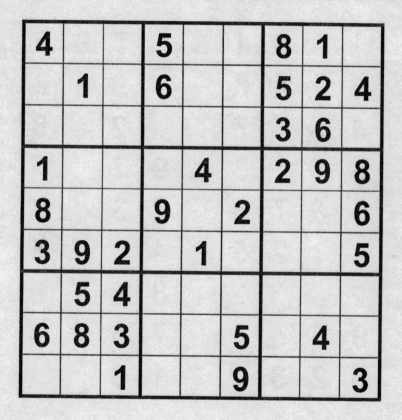

4			5			8	1	
	1		6			5	2	4
						3	6	
1				4		2	9	8
8			9		2			6
3	9	2		1				5
	5	4						
6	8	3			5		4	
		1			9			3

easy

SUDOKU #50

		8	1			7	9	5
	5	4	8				3	2
			7					
8			3		9	2		
5		7	6		2	3		9
		2	5		4			7
					8			
9	8				7	6	4	
6	2	3			1	9		

easy

SUDOKU #51

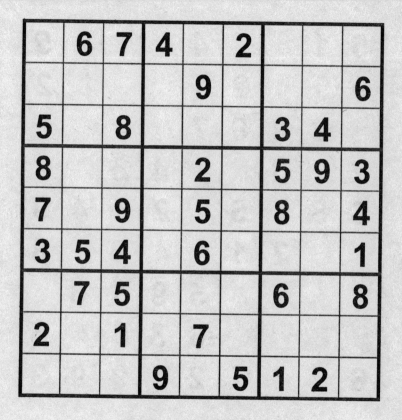

	6	7	4		2			
				9				6
5		8				3	4	
8				2		5	9	3
7		9		5		8		4
3	5	4		6				1
	7	5				6		8
2		1		7				
			9		5	1	2	

easy

SUDOKU #52

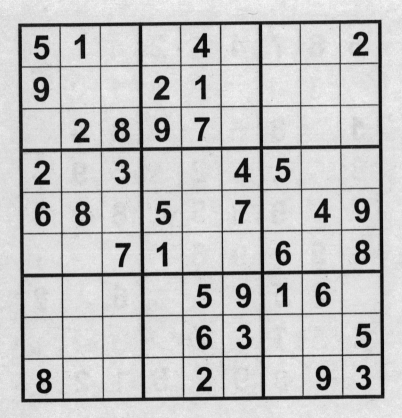

5	1			4				2
9			2	1				
	2	8	9	7				
2		3			4	5		
6	8		5		7		4	9
		7	1			6		8
				5	9	1	6	
				6	3			5
8				2			9	3

easy

SUDOKU #53

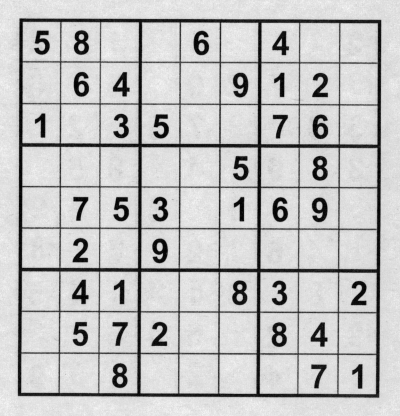

5	8			6		4		
	6	4			9	1	2	
1		3	5			7	6	
					5		8	
	7	5	3		1	6	9	
	2		9					
	4	1			8	3		2
	5	7	2			8	4	
		8					7	1

easy

SUDOKU #54

2						1		
		7	2	9		5		6
5	9			7	8		2	
3		9		4		8	5	
			1		3			
	4	6		2		7		1
	8		9	1			4	5
9		2		5	4	6		
		4						9

easy

SUDOKU #55

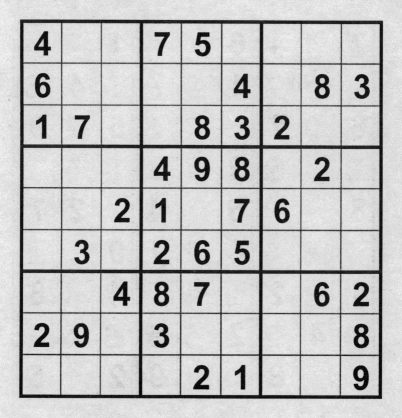

4			7	5				
6					4		8	3
1	7			8	3	2		
			4	9	8		2	
		2	1		7	6		
	3		2	6	5			
		4	8	7			6	2
2	9		3					8
				2	1			9

easy

SUDOKU #56

2		4	6			1		
			1		7		4	
6		1				5		9
		5	9		3			
8			5		4		2	7
			8		1	9		
1		2				4		8
	4		2		5			
		8			9	2		5

easy

SUDOKU #57

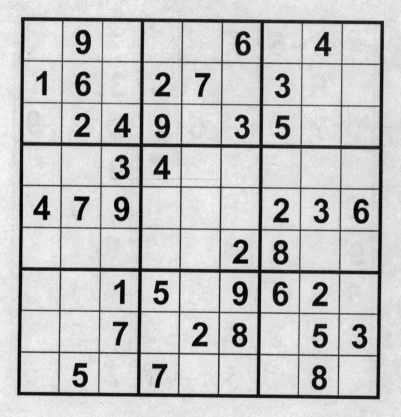

	9				6		4	
1	6		2	7		3		
	2	4	9		3	5		
		3	4					
4	7	9				2	3	6
					2	8		
		1	5		9	6	2	
		7		2	8		5	3
	5		7				8	

easy

SUDOKU #58

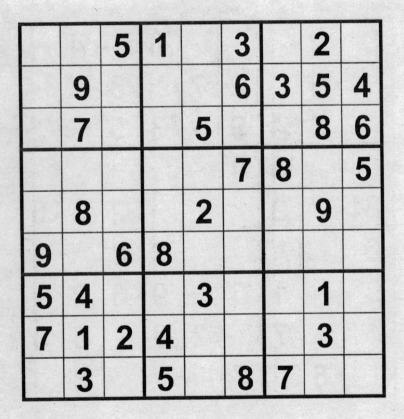

		5	1		3		2	
	9				6	3	5	4
	7			5			8	6
					7	8		5
	8			2			9	
9		6	8					
5	4			3			1	
7	1	2	4				3	
	3		5		8	7		

easy

SUDOKU #59

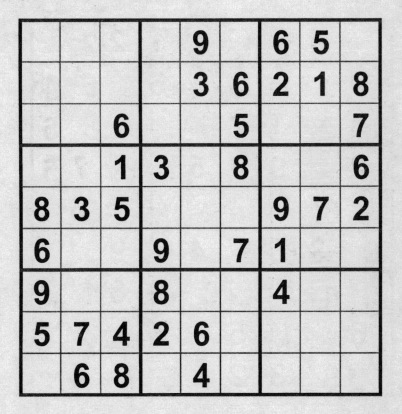

				9		6	5	
				3	6	2	1	8
		6			5			7
		1	3		8			6
8	3	5				9	7	2
6			9		7	1		
9			8			4		
5	7	4	2	6				
	6	8		4				

easy

SUDOKU #60

	5				1	2		
9			3		5			8
4		1	7					
2		9	8	5		1	7	
	7						6	
	3	5		4	7	9		2
					6	8		9
6			5		4			3
		3	2				4	

easy

SUDOKU #61

	8	4		7	9	5		
			8		3		9	
5		2						8
9	1	6			2		7	
	3			1			5	
	7		3			1	8	2
7						9		1
	2		7		1			
		1	9	3		8	2	

easy

SUDOKU #62

	1	5		9	8			4
6			5					8
		2			4	5		
	5					7	2	
1		3		2		4		6
	2	6					9	
		8	6			3		
7					3			9
2			8	5		6	1	

easy

SUDOKU #63

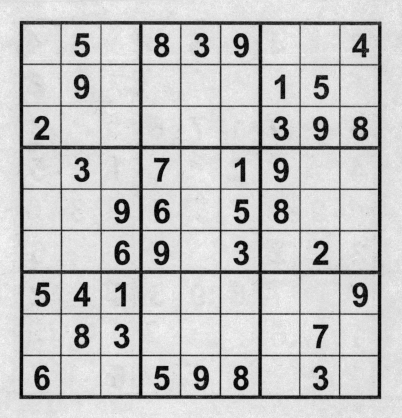

	5		8	3	9			4
	9					1	5	
2						3	9	8
	3		7		1	9		
		9	6		5	8		
		6	9		3		2	
5	4	1						9
	8	3					7	
6			5	9	8		3	

easy

SUDOKU #64

8		4		5			6	
						7		8
5		9	1	7	8			3
4			2			1		5
	9		7		1		3	
3		2			5			6
7			6	9	3	5		2
1		6						
	2			1		6		7

easy

SUDOKU #65

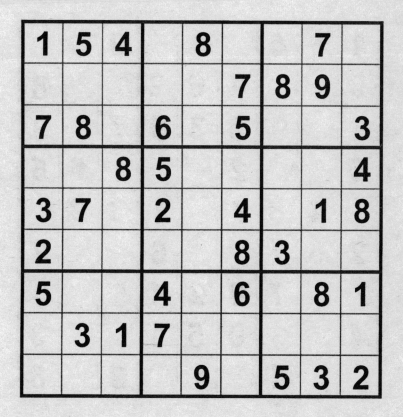

1	5	4		8			7	
					7	8	9	
7	8		6		5			3
		8	5					4
3	7		2		4		1	8
2					8	3		
5			4		6		8	1
	3	1	7					
				9		5	3	2

easy

SUDOKU #66

1		5				9		
8			1	6	2			4
			5	3	9	7		
9			2				6	5
	4	8				3	9	
2	5				3			7
		7	8	2	4			
4			9	5	1			3
		1				2		8

easy

SUDOKU #67

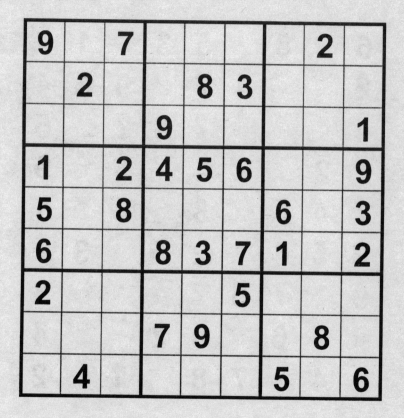

9		7					2	
	2			8	3			
			9					1
1		2	4	5	6			9
5		8				6		3
6			8	3	7	1		2
2					5			
			7	9			8	
	4					5		6

easy

SUDOKU #68

6		8		5	3		1	
2			4	7		9	6	
4					8			5
	2			4		5		9
7				3				1
8		4		2			3	
9			5					3
	7	6		9	2			4
	4		7	8		1		2

easy

SUDOKU #69

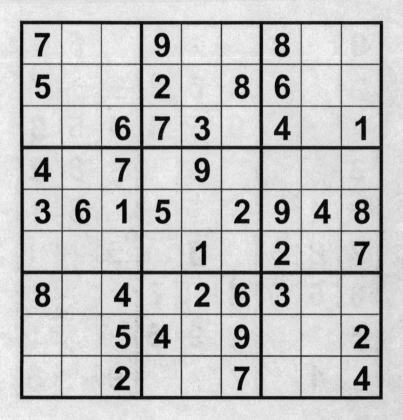

7			9			8		
5			2		8	6		
		6	7	3		4		1
4		7		9				
3	6	1	5		2	9	4	8
				1		2		7
8		4		2	6	3		
		5	4		9			2
		2			7			4

easy

SUDOKU #70

9		3					6	
			3	6	2			7
			9		8	4	5	3
3		1		5			8	2
6	4						3	1
7	8			3		5		
8	6	9	4		7			
5			2	9	6			
	1					9		6

easy

SUDOKU #71

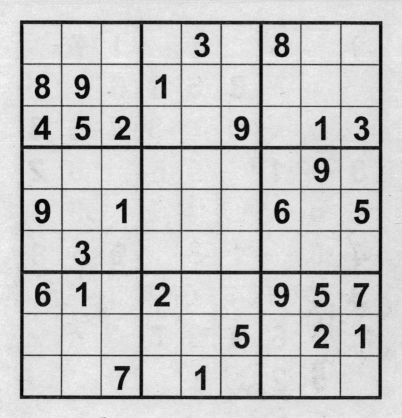

				3		8		
8	9		1					
4	5	2			9		1	3
							9	
9		1				6		5
	3							
6	1		2			9	5	7
					5		2	1
		7		1				

intermediate

SUDOKU #72

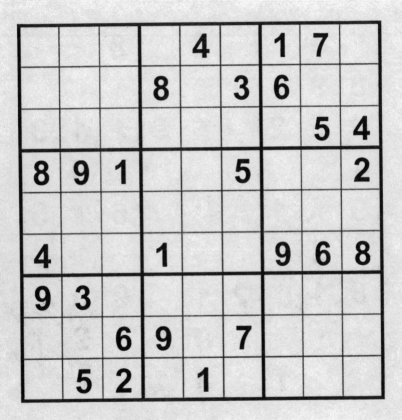

				4		1	7	
			8		3	6		
							5	4
8	9	1			5			2
4			1			9	6	8
9	3							
		6	9		7			
	5	2		1				

intermediate

SUDOKU #73

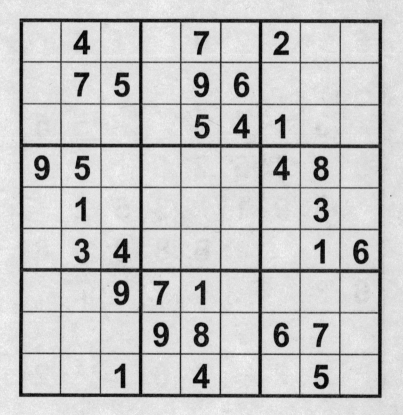

	4			7		2		
	7	5		9	6			
				5	4	1		
9	5					4	8	
	1						3	
	3	4					1	6
		9	7	1				
			9	8		6	7	
		1		4			5	

intermediate

SUDOKU #74

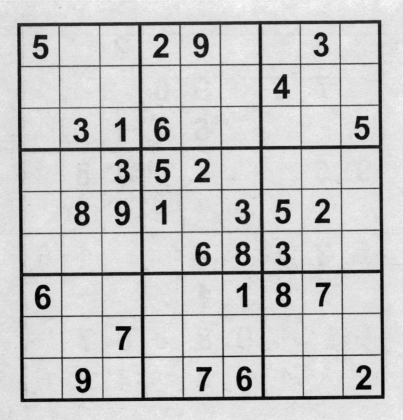

5			2	9			3	
						4		
	3	1	6					5
		3	5	2				
	8	9	1		3	5	2	
				6	8	3		
6					1	8	7	
		7						
	9			7	6			2

intermediate

SUDOKU #75

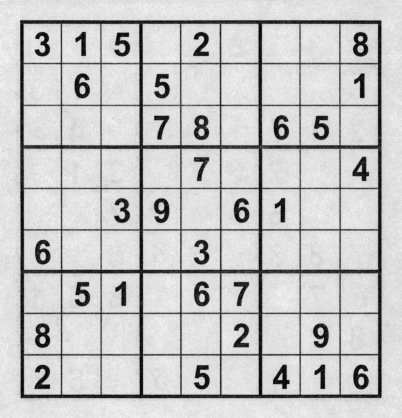

3	1	5		2				8
	6		5					1
			7	8		6	5	
				7				4
		3	9		6	1		
6				3				
	5	1		6	7			
8					2		9	
2				5		4	1	6

intermediate

SUDOKU #76

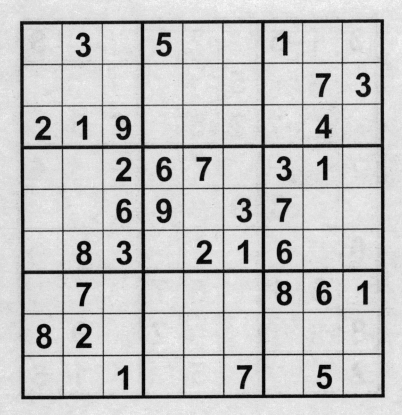

	3		5			1		
							7	3
2	1	9					4	
		2	6	7		3	1	
		6	9		3	7		
	8	3		2	1	6		
	7					8	6	1
8	2							
		1			7		5	

intermediate

SUDOKU #77

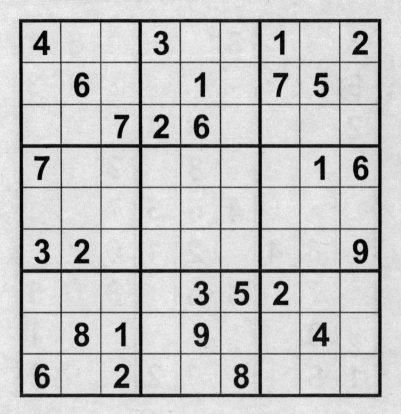

4			3			1		2
	6			1		7	5	
		7	2	6				
7							1	6
3	2							9
				3	5	2		
	8	1		9			4	
6		2			8			

intermediate

SUDOKU #78

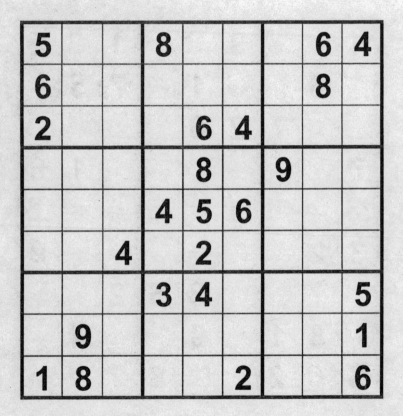

5			8				6	4
6							8	
2				6	4			
				8		9		
			4	5	6			
		4		2				
			3	4				5
	9							1
1	8				2			6

intermediate

SUDOKU #79

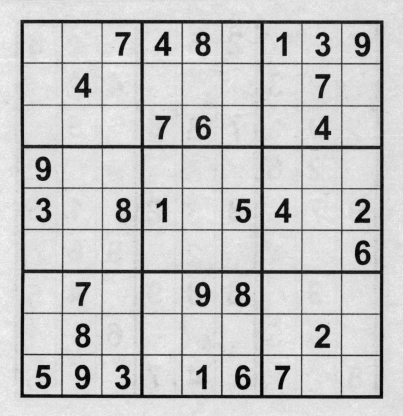

		7	4	8		1	3	9
	4						7	
			7	6			4	
9								
3		8	1		5	4		2
								6
	7			9	8			
	8						2	
5	9	3		1	6	7		

intermediate

SUDOKU #80

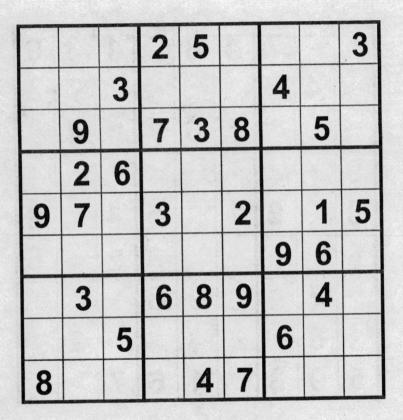

			2	5				3
		3				4		
	9		7	3	8		5	
	2	6						
9	7		3		2		1	5
						9	6	
	3		6	8	9		4	
		5				6		
8				4	7			

intermediate

SUDOKU #81

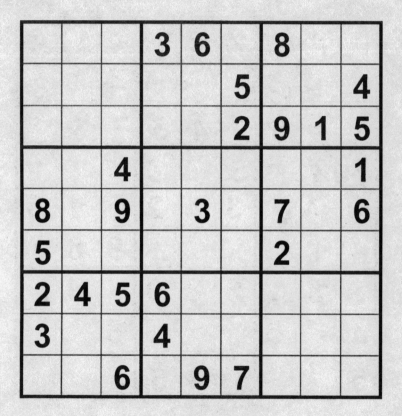

			3	6		8		
					5			4
					2	9	1	5
		4						1
8		9		3		7		6
5						2		
2	4	5	6					
3			4					
		6		9	7			

intermediate

SUDOKU #82

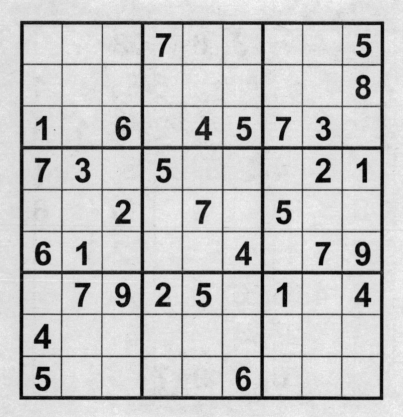

			7					5
								8
1		6		4	5	7	3	
7	3		5				2	1
		2		7		5		
6	1				4		7	9
	7	9	2	5		1		4
4								
5					6			

intermediate

SUDOKU #83

				3		2		
	4	3			8	5		
					7	9		
	7		3	6		8		
		9				1		
6		4		9	1		3	
		6	5					
		2	7			6	8	
		5		1				

intermediate

SUDOKU #84

		6	5			2		
			1	4				3
			9				6	8
				6	5	7		
	6	2				5	4	
		5	2	8				
1	2				4			
6				2	9			
		7			3	4		

intermediate

SUDOKU #85

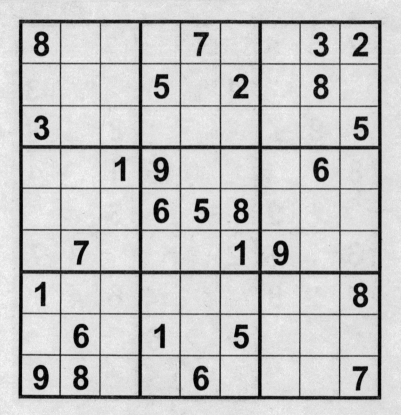

8				7			3	2
			5		2		8	
3								5
		1	9				6	
			6	5	8			
	7				1	9		
1								8
	6		1		5			
9	8			6				7

intermediate

SUDOKU #86

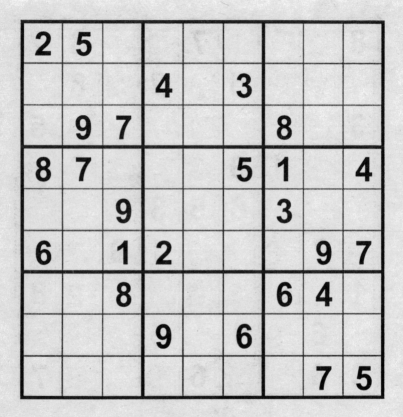

2	5							
			4		3			
	9	7				8		
8	7				5	1		4
		9				3		
6		1	2				9	7
		8				6	4	
			9		6			
							7	5

intermediate

SUDOKU #87

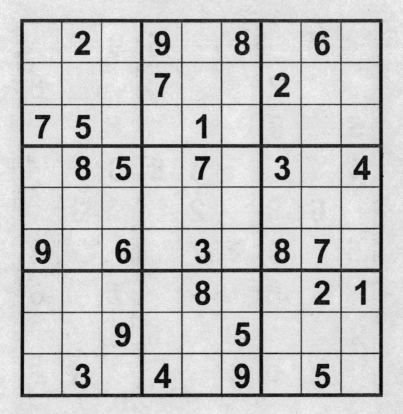

	2		9		8		6	
			7			2		
7	5			1				
	8	5		7		3		4
9		6		3		8	7	
				8			2	1
		9			5			
	3		4		9		5	

intermediate

SUDOKU #88

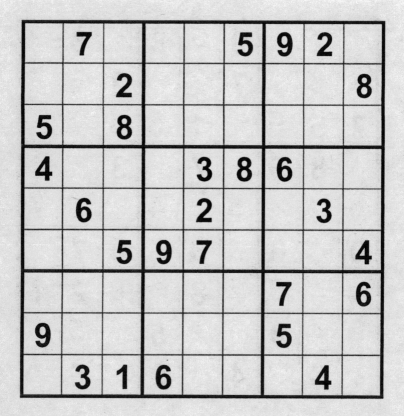

	7				5	9	2	
		2						8
5		8						
4				3	8	6		
	6			2			3	
		5	9	7				4
						7		6
9						5		
	3	1	6				4	

intermediate

SUDOKU #89

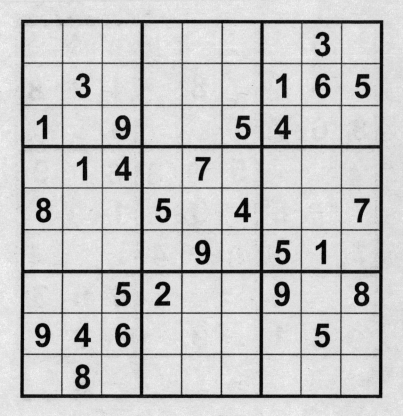

							3	
	3					1	6	5
1		9			5	4		
	1	4		7				
8			5		4			7
				9		5	1	
		5	2			9		8
9	4	6					5	
	8							

intermediate

SUDOKU #90

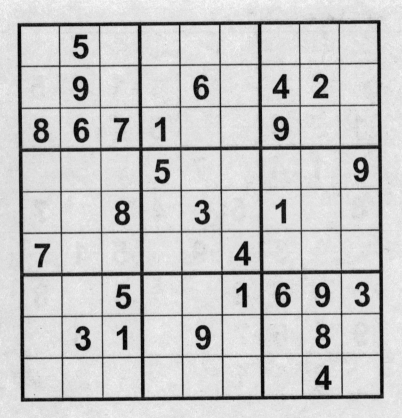

	5							
	9			6		4	2	
8	6	7	1			9		
			5					9
		8		3		1		
7					4			
		5			1	6	9	3
	3	1		9			8	
							4	

intermediate

SUDOKU #91

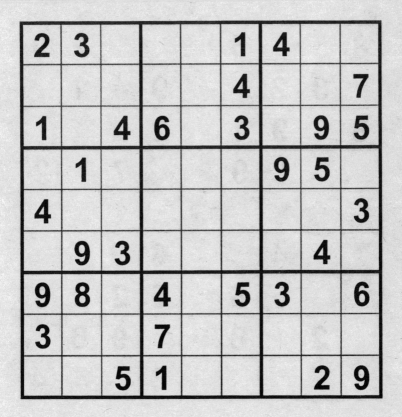

2	3				1	4		
					4			7
1		4	6		3		9	5
	1					9	5	
4								3
	9	3					4	
9	8		4		5	3		6
3			7					
		5	1				2	9

intermediate

SUDOKU #92

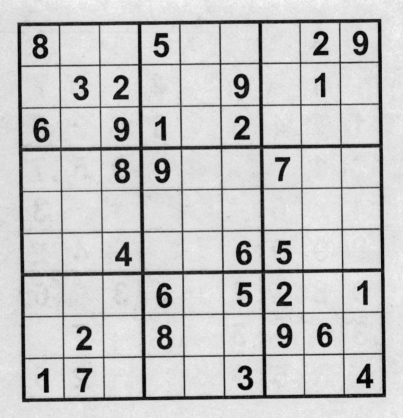

8			5				2	9
	3	2			9		1	
6		9	1		2			
		8	9			7		
		4			6	5		
			6		5	2		1
	2		8			9	6	
1	7				3			4

intermediate

SUDOKU #93

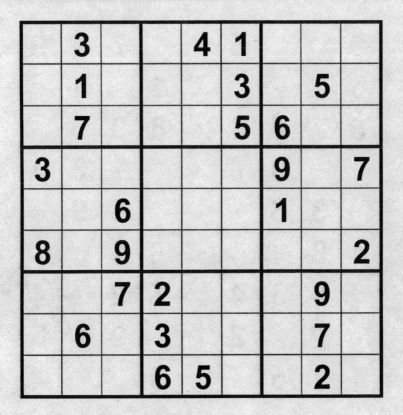

	3			4	1			
	1				3		5	
	7				5	6		
3						9		7
		6				1		
8		9						2
		7	2				9	
	6		3				7	
			6	5			2	

intermediate

SUDOKU #94

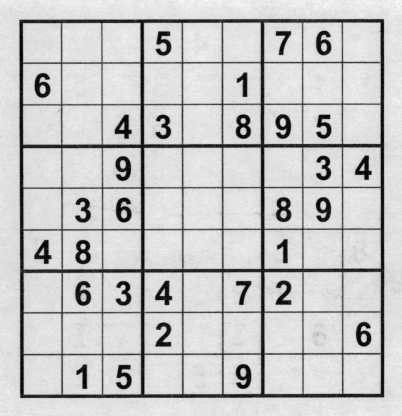

			5			7	6	
6					1			
		4	3		8	9	5	
		9					3	4
	3	6				8	9	
4	8					1		
	6	3	4		7	2		
			2					6
	1	5			9			

intermediate

SUDOKU #95

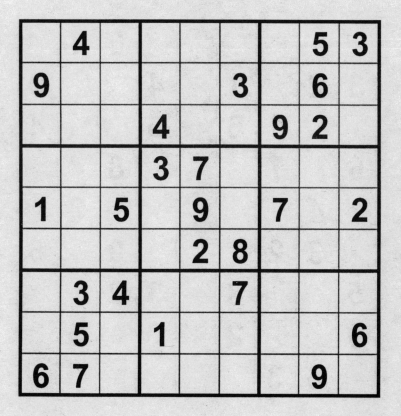

	4						5	3
9					3		6	
			4			9	2	
			3	7				
1		5		9		7		2
				2	8			
	3	4			7			
	5		1					6
6	7						9	

intermediate

SUDOKU #96

						6	1	
3	2		1		4			9
		1	6		5			4
6		7				8	4	
	4						3	
	3	2				9		6
5			8		3	2		
9			2		6		5	3
	6	3						

intermediate

SUDOKU #97

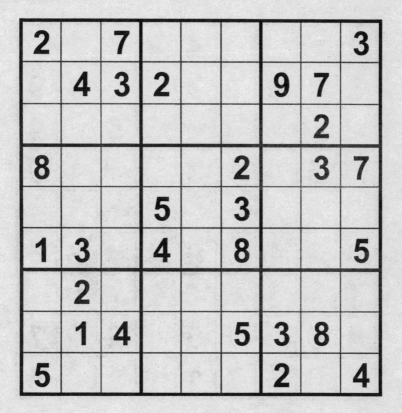

2		7						3
	4	3	2			9	7	
							2	
8					2		3	7
			5		3			
1	3		4		8			5
	2							
	1	4			5	3	8	
5						2		4

intermediate

SUDOKU #98

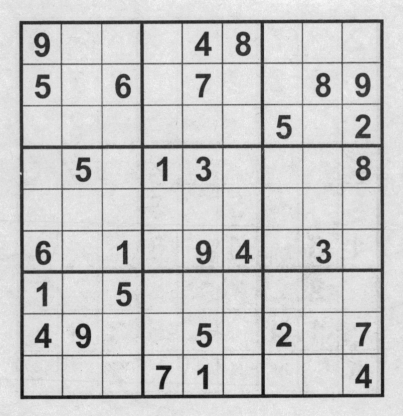

9				4	8			
5		6		7			8	9
						5		2
	5		1	3				8
6		1		9	4		3	
1		5						
4	9			5		2		7
			7	1				4

intermediate

SUDOKU #99

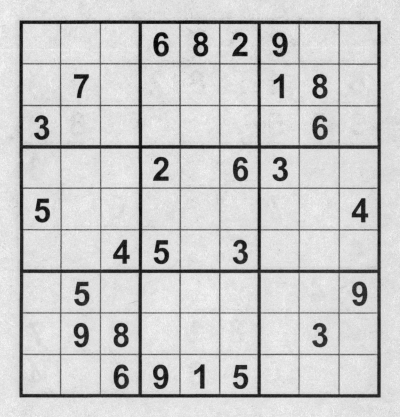

			6	8	2	9		
	7					1	8	
3							6	
			2		6	3		
5								4
		4	5		3			
	5							9
	9	8					3	
		6	9	1	5			

challenging

SUDOKU #100

		2	5	7				
6		4		8	2			
3	7	5					8	2
					6			4
		7				6		
4			2					
5	4					1	7	6
			8	1		3		9
				6	7	5		

challenging

SUDOKU #101

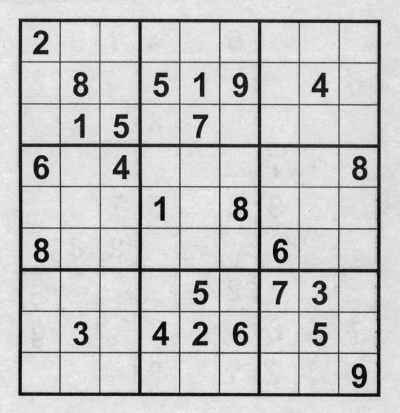

2								
	8		5	1	9		4	
	1	5		7				
6		4						8
			1		8			
8						6		
				5		7	3	
	3		4	2	6		5	
								9

challenging

SUDOKU #102

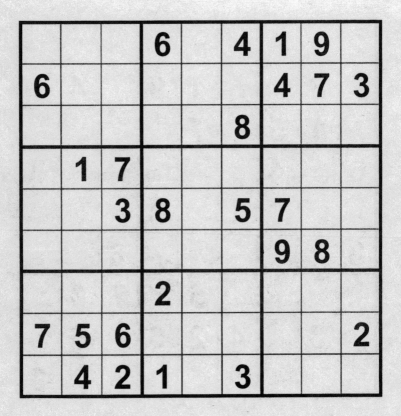

			6		4	1	9	
6						4	7	3
					8			
	1	7						
		3	8		5	7		
						9	8	
			2					
7	5	6						2
	4	2	1		3			

challenging

SUDOKU #103

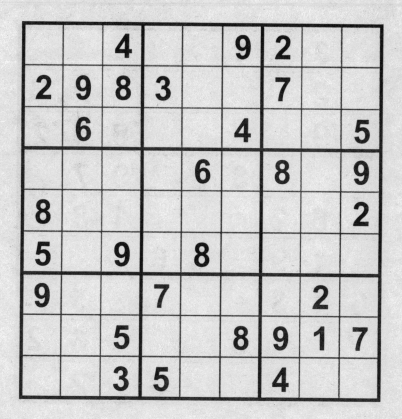

		4			9	2		
2	9	8	3			7		
	6				4			5
				6		8		9
8								2
5		9		8				
9			7				2	
		5			8	9	1	7
		3	5			4		

challenging

SUDOKU #104

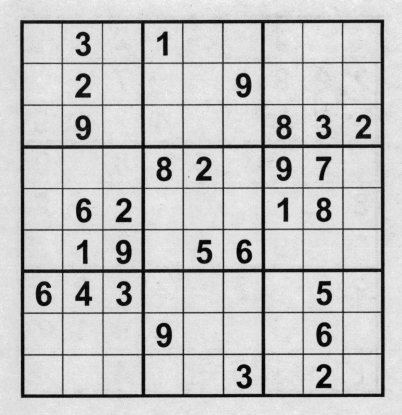

	3		1					
	2				9			
	9					8	3	2
			8	2		9	7	
	6	2				1	8	
	1	9		5	6			
6	4	3					5	
			9				6	
					3		2	

challenging

SUDOKU #105

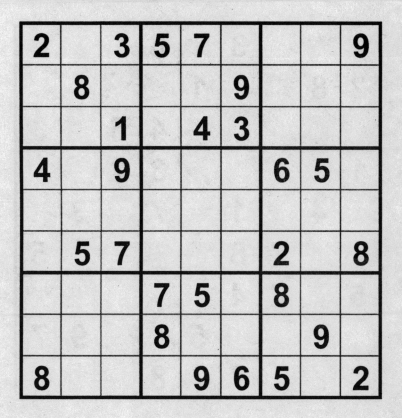

2		3	5	7				9
	8				9			
		1		4	3			
4		9				6	5	
	5	7				2		8
			7	5		8		
			8				9	
8				9	6	5		2

challenging

SUDOKU #106

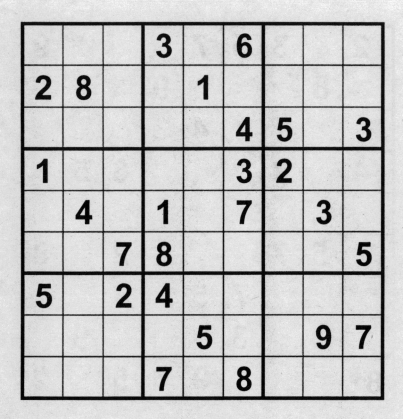

			3		6			
2	8			1				
					4	5		3
1					3	2		
	4		1		7		3	
		7	8					5
5		2	4					
				5			9	7
			7		8			

challenging

SUDOKU #107

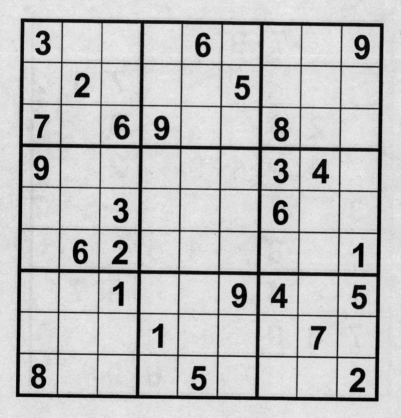

3				6				9
	2				5			
7		6	9			8		
9						3	4	
		3				6		
	6	2						1
		1			9	4		5
			1				7	
8				5				2

tough

SUDOKU #108

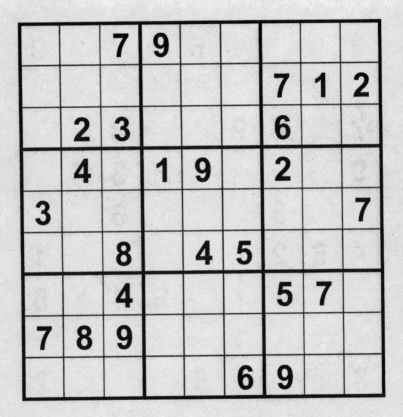

		7	9					
						7	1	2
	2	3				6		
	4		1	9		2		
3								7
		8		4	5			
		4				5	7	
7	8	9						
					6	9		

tough

SUDOKU #109

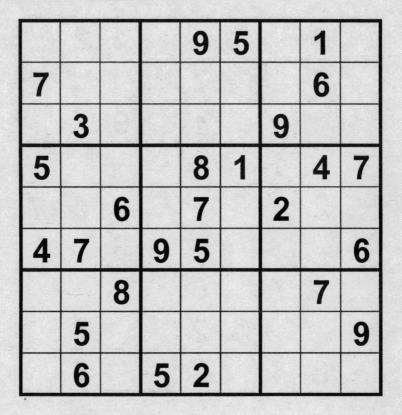

				9	5		1	
7							6	
	3					9		
5				8	1		4	7
		6		7		2		
4	7		9	5				6
		8					7	
	5							9
	6		5	2				

tough

SUDOKU #110

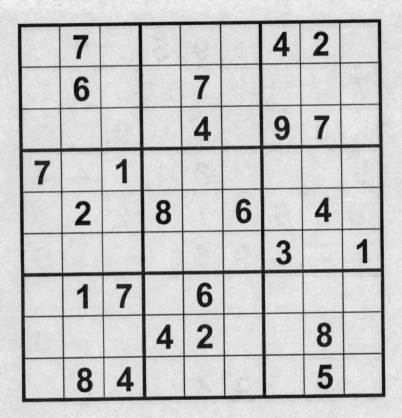

	7					4	2	
	6			7				
				4		9	7	
7		1						
	2		8		6		4	
						3		1
	1	7		6				
			4	2			8	
	8	4					5	

tough

SUDOKU #111

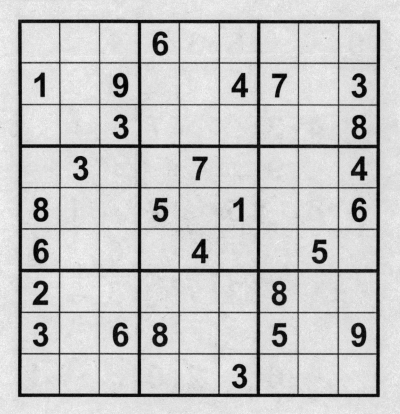

			6					
1		9			4	7		3
		3						8
	3			7				4
8			5		1			6
6				4			5	
2						8		
3		6	8			5		9
					3			

super tough

SUDOKU #112

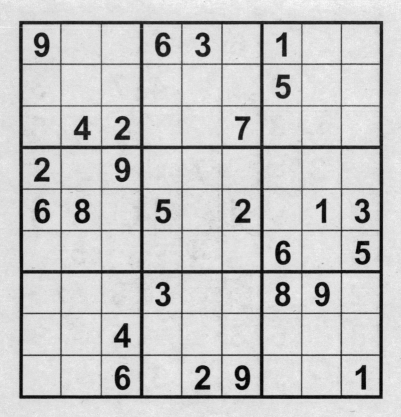

9			6	3		1		
						5		
	4	2			7			
2		9						
6	8		5		2		1	3
						6		5
			3			8	9	
		4						
		6		2	9			1

super tough

SUDOKU #113

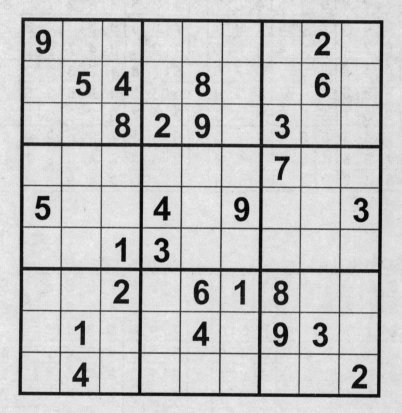

9							2	
	5	4		8			6	
		8	2	9		3		
						7		
5			4		9			3
		1	3					
		2		6	1	8		
	1			4		9	3	
	4							2

super tough

SUDOKU #1

3	2	9	8	1	5	4	6	7
5	8	4	7	3	6	2	9	1
6	7	1	2	9	4	5	3	8
4	1	8	3	5	9	7	2	6
2	3	6	1	4	7	8	5	9
9	5	7	6	2	8	1	4	3
1	6	3	5	8	2	9	7	4
7	9	5	4	6	1	3	8	2
8	4	2	9	7	3	6	1	5

SUDOKU #2

4	9	5	3	6	2	7	1	8
7	8	6	9	5	1	4	3	2
1	2	3	8	4	7	9	5	6
6	4	8	1	7	3	5	2	9
5	3	2	4	9	6	1	8	7
9	1	7	5	2	8	3	6	4
3	6	1	7	8	4	2	9	5
2	5	4	6	3	9	8	7	1
8	7	9	2	1	5	6	4	3

SUDOKU #3

3	4	7	9	8	5	1	2	6
8	1	2	6	7	3	4	9	5
6	9	5	4	1	2	7	3	8
7	6	1	8	5	9	2	4	3
9	5	4	2	3	1	8	6	7
2	8	3	7	6	4	9	5	1
1	3	9	5	4	8	6	7	2
4	7	8	3	2	6	5	1	9
5	2	6	1	9	7	3	8	4

SUDOKU #4

4	2	6	7	9	3	8	1	5
3	1	5	4	2	8	7	9	6
7	9	8	5	6	1	3	2	4
5	7	3	1	8	4	2	6	9
6	4	2	9	7	5	1	8	3
1	8	9	2	3	6	4	5	7
8	3	1	6	4	9	5	7	2
9	5	7	3	1	2	6	4	8
2	6	4	8	5	7	9	3	1

SUDOKU #5

9	2	5	8	7	1	3	4	6
1	8	6	4	2	3	9	7	5
4	3	7	6	9	5	8	1	2
2	6	9	7	1	8	5	3	4
5	7	8	2	3	4	1	6	9
3	4	1	5	6	9	7	2	8
6	5	4	1	8	7	2	9	3
7	9	2	3	5	6	4	8	1
8	1	3	9	4	2	6	5	7

SUDOKU #6

2	4	8	7	6	9	5	3	1
3	5	1	2	4	8	6	9	7
6	9	7	5	3	1	4	8	2
8	2	5	9	1	3	7	6	4
7	1	4	6	8	5	3	2	9
9	6	3	4	7	2	1	5	8
5	8	6	1	2	4	9	7	3
1	3	9	8	5	7	2	4	6
4	7	2	3	9	6	8	1	5

SUDOKU #7

3	6	1	8	5	4	2	9	7
9	2	7	6	3	1	5	4	8
4	5	8	2	9	7	6	3	1
6	3	4	9	7	2	8	1	5
8	7	2	3	1	5	4	6	9
1	9	5	4	6	8	3	7	2
7	8	9	5	4	3	1	2	6
5	1	3	7	2	6	9	8	4
2	4	6	1	8	9	7	5	3

SUDOKU #8

4	3	1	2	7	9	6	5	8
5	6	2	8	4	1	9	7	3
8	9	7	3	6	5	4	1	2
7	2	4	6	9	8	5	3	1
1	5	6	4	3	7	8	2	9
3	8	9	1	5	2	7	4	6
2	4	5	9	1	6	3	8	7
6	1	3	7	8	4	2	9	5
9	7	8	5	2	3	1	6	4

SUDOKU #9

7	9	6	8	3	5	1	2	4
4	3	5	1	2	7	8	6	9
1	8	2	9	4	6	3	5	7
9	6	3	2	5	8	7	4	1
5	1	8	4	7	9	2	3	6
2	7	4	3	6	1	9	8	5
6	2	1	7	8	4	5	9	3
8	5	9	6	1	3	4	7	2
3	4	7	5	9	2	6	1	8

SUDOKU #10

2	6	9	5	3	8	4	7	1
3	8	4	7	1	6	9	2	5
1	7	5	2	9	4	6	3	8
4	5	7	1	6	2	8	9	3
9	1	6	3	8	7	2	5	4
8	2	3	9	4	5	7	1	6
5	4	2	6	7	1	3	8	9
6	9	1	8	2	3	5	4	7
7	3	8	4	5	9	1	6	2

SUDOKU #11

3	9	1	2	5	7	8	4	6
5	7	6	4	9	8	1	2	3
2	4	8	1	6	3	5	7	9
8	5	9	7	4	2	3	6	1
1	6	7	5	3	9	4	8	2
4	2	3	8	1	6	7	9	5
6	3	5	9	7	4	2	1	8
7	1	2	6	8	5	9	3	4
9	8	4	3	2	1	6	5	7

SUDOKU #12

1	6	5	3	9	7	2	4	8
7	4	8	5	6	2	3	9	1
9	3	2	1	8	4	7	5	6
2	5	3	6	4	1	8	7	9
8	1	4	9	7	3	5	6	2
6	9	7	8	2	5	4	1	3
4	7	6	2	1	8	9	3	5
3	2	1	4	5	9	6	8	7
5	8	9	7	3	6	1	2	4

SUDOKU #13

9	8	2	1	5	3	7	6	4
6	5	1	9	7	4	8	2	3
4	7	3	8	2	6	9	1	5
1	9	5	7	6	2	3	4	8
2	3	7	4	8	5	6	9	1
8	4	6	3	9	1	5	7	2
5	2	9	6	1	8	4	3	7
7	1	4	5	3	9	2	8	6
3	6	8	2	4	7	1	5	9

SUDOKU #14

2	1	5	8	6	4	7	9	3
3	7	6	9	2	1	5	8	4
9	8	4	3	7	5	2	1	6
7	3	1	4	8	6	9	5	2
4	2	8	5	3	9	6	7	1
5	6	9	7	1	2	4	3	8
1	4	7	6	5	8	3	2	9
8	9	3	2	4	7	1	6	5
6	5	2	1	9	3	8	4	7

SUDOKU #15

7	1	3	4	6	5	9	8	2
6	9	4	2	1	8	7	3	5
2	8	5	3	9	7	1	6	4
4	2	8	7	5	9	6	1	3
5	6	9	8	3	1	2	4	7
3	7	1	6	4	2	5	9	8
9	5	2	1	8	3	4	7	6
1	3	6	5	7	4	8	2	9
8	4	7	9	2	6	3	5	1

SUDOKU #16

7	5	2	4	8	6	9	3	1
1	8	3	9	2	5	6	7	4
9	4	6	7	3	1	2	8	5
8	6	7	2	5	4	1	9	3
3	1	9	6	7	8	5	4	2
5	2	4	1	9	3	8	6	7
4	7	8	5	6	2	3	1	9
2	3	1	8	4	9	7	5	6
6	9	5	3	1	7	4	2	8

SUDOKU #17

4	9	1	5	2	7	3	6	8
7	5	2	6	3	8	1	9	4
6	3	8	9	1	4	7	5	2
8	2	7	4	6	5	9	3	1
3	6	9	2	8	1	5	4	7
5	1	4	7	9	3	2	8	6
2	8	3	1	5	6	4	7	9
1	4	5	8	7	9	6	2	3
9	7	6	3	4	2	8	1	5

SUDOKU #18

2	8	3	6	5	7	4	1	9
9	4	7	1	3	2	5	6	8
6	5	1	9	4	8	7	2	3
3	2	8	7	1	9	6	4	5
5	7	6	3	8	4	1	9	2
4	1	9	5	2	6	3	8	7
8	3	2	4	7	1	9	5	6
1	6	5	8	9	3	2	7	4
7	9	4	2	6	5	8	3	1

SUDOKU #19

5	4	7	6	9	3	2	8	1
9	8	6	2	1	7	5	3	4
2	3	1	8	5	4	9	7	6
7	9	5	1	3	6	4	2	8
4	2	8	9	7	5	6	1	3
6	1	3	4	8	2	7	9	5
3	7	9	5	6	1	8	4	2
8	5	4	3	2	9	1	6	7
1	6	2	7	4	8	3	5	9

SUDOKU #20

3	8	6	7	4	9	5	2	1
5	4	7	6	2	1	9	8	3
9	1	2	5	8	3	7	4	6
8	9	4	3	6	7	1	5	2
2	5	3	9	1	4	6	7	8
6	7	1	2	5	8	3	9	4
7	3	8	4	9	6	2	1	5
4	6	5	1	7	2	8	3	9
1	2	9	8	3	5	4	6	7

SUDOKU #21

1	7	5	6	8	2	9	3	4
3	9	6	7	4	5	1	2	8
4	8	2	1	9	3	7	5	6
6	5	7	2	1	4	3	8	9
8	2	4	3	7	9	6	1	5
9	1	3	5	6	8	4	7	2
2	6	8	4	3	7	5	9	1
7	4	9	8	5	1	2	6	3
5	3	1	9	2	6	8	4	7

SUDOKU #22

8	9	6	2	7	5	4	1	3
5	7	2	1	3	4	8	6	9
1	4	3	6	8	9	2	7	5
3	8	7	5	9	2	6	4	1
2	1	9	3	4	6	7	5	8
6	5	4	8	1	7	3	9	2
7	2	1	4	5	3	9	8	6
9	6	5	7	2	8	1	3	4
4	3	8	9	6	1	5	2	7

SUDOKU #23

7	1	8	9	5	6	2	3	4
9	4	3	7	8	2	6	1	5
6	5	2	3	1	4	7	9	8
3	2	7	8	4	9	5	6	1
4	6	5	2	3	1	8	7	9
1	8	9	5	6	7	3	4	2
8	3	1	4	7	5	9	2	6
2	7	4	6	9	8	1	5	3
5	9	6	1	2	3	4	8	7

SUDOKU #24

4	5	3	6	2	8	9	1	7
2	7	8	4	9	1	6	5	3
9	1	6	5	3	7	2	8	4
7	9	4	2	8	6	5	3	1
8	6	1	3	5	4	7	2	9
3	2	5	1	7	9	8	4	6
1	4	7	8	6	2	3	9	5
5	8	9	7	4	3	1	6	2
6	3	2	9	1	5	4	7	8

SUDOKU #25

9	1	6	8	7	2	4	5	3
7	4	8	1	5	3	2	9	6
2	3	5	6	9	4	8	7	1
5	8	3	7	4	1	9	6	2
6	7	2	9	3	8	5	1	4
4	9	1	5	2	6	3	8	7
3	5	9	2	6	7	1	4	8
1	2	7	4	8	5	6	3	9
8	6	4	3	1	9	7	2	5

SUDOKU #26

4	3	6	1	7	5	8	9	2
5	2	8	4	6	9	1	7	3
9	7	1	8	3	2	4	5	6
6	4	3	2	9	1	5	8	7
7	8	9	3	5	6	2	1	4
2	1	5	7	8	4	3	6	9
3	6	4	9	1	8	7	2	5
1	9	7	5	2	3	6	4	8
8	5	2	6	4	7	9	3	1

SUDOKU #27

1	2	6	9	8	7	4	5	3
4	9	8	5	3	1	6	2	7
7	3	5	2	4	6	1	8	9
9	8	1	7	6	5	2	3	4
3	6	4	8	2	9	7	1	5
5	7	2	4	1	3	9	6	8
8	5	7	6	9	2	3	4	1
6	4	3	1	7	8	5	9	2
2	1	9	3	5	4	8	7	6

SUDOKU #28

3	4	9	6	2	5	7	1	8
6	2	8	4	7	1	9	3	5
7	1	5	3	8	9	2	6	4
8	3	2	5	1	6	4	7	9
9	6	4	2	3	7	8	5	1
5	7	1	8	9	4	3	2	6
4	8	3	1	5	2	6	9	7
2	5	7	9	6	8	1	4	3
1	9	6	7	4	3	5	8	2

SUDOKU #29

9	7	8	1	5	3	6	2	4
5	6	1	8	4	2	3	9	7
4	2	3	7	9	6	5	8	1
7	1	5	9	3	8	4	6	2
8	4	2	6	1	7	9	3	5
6	3	9	5	2	4	7	1	8
1	5	7	3	8	9	2	4	6
3	8	4	2	6	5	1	7	9
2	9	6	4	7	1	8	5	3

SUDOKU #30

7	5	2	8	6	9	3	4	1
6	4	1	3	7	5	8	9	2
3	8	9	1	2	4	5	7	6
5	2	7	4	3	6	9	1	8
1	3	6	9	8	2	7	5	4
4	9	8	7	5	1	6	2	3
2	7	5	6	1	3	4	8	9
8	6	4	2	9	7	1	3	5
9	1	3	5	4	8	2	6	7

SUDOKU #31

3	5	8	4	2	9	7	6	1
7	1	4	8	6	5	2	3	9
6	9	2	7	3	1	4	8	5
2	8	5	6	4	3	9	1	7
1	7	3	5	9	2	8	4	6
9	4	6	1	8	7	5	2	3
5	3	7	2	1	8	6	9	4
8	6	9	3	5	4	1	7	2
4	2	1	9	7	6	3	5	8

SUDOKU #32

5	7	8	9	1	2	6	3	4
4	9	2	3	6	8	7	5	1
3	6	1	7	4	5	8	2	9
6	5	4	8	3	7	9	1	2
8	1	3	6	2	9	5	4	7
7	2	9	4	5	1	3	6	8
9	4	6	1	7	3	2	8	5
1	8	5	2	9	6	4	7	3
2	3	7	5	8	4	1	9	6

SUDOKU #33

3	2	8	6	1	5	4	7	9
1	5	7	4	9	2	6	8	3
4	6	9	8	7	3	2	5	1
6	7	1	3	8	9	5	2	4
9	8	2	1	5	4	3	6	7
5	3	4	2	6	7	1	9	8
2	9	6	7	4	1	8	3	5
7	1	3	5	2	8	9	4	6
8	4	5	9	3	6	7	1	2

SUDOKU #34

1	8	3	4	7	5	2	6	9
5	4	6	2	8	9	3	7	1
7	2	9	3	1	6	8	4	5
9	7	2	1	4	8	6	5	3
6	5	8	7	9	3	1	2	4
3	1	4	5	6	2	9	8	7
2	9	5	8	3	4	7	1	6
4	6	7	9	2	1	5	3	8
8	3	1	6	5	7	4	9	2

SUDOKU #35

7	1	6	9	3	5	2	8	4
8	4	3	2	6	7	5	9	1
5	9	2	8	4	1	7	6	3
9	6	7	3	5	8	1	4	2
1	3	5	6	2	4	9	7	8
4	2	8	7	1	9	6	3	5
6	8	1	5	9	3	4	2	7
3	5	9	4	7	2	8	1	6
2	7	4	1	8	6	3	5	9

SUDOKU #36

6	8	4	5	9	1	3	7	2
5	3	7	6	8	2	1	9	4
1	9	2	7	3	4	8	5	6
3	4	9	8	6	7	2	1	5
7	6	5	2	1	3	9	4	8
8	2	1	4	5	9	7	6	3
4	7	3	9	2	5	6	8	1
2	5	6	1	7	8	4	3	9
9	1	8	3	4	6	5	2	7

SUDOKU #37

8	3	6	9	2	5	7	4	1
2	1	9	7	3	4	8	6	5
4	7	5	8	6	1	3	9	2
1	6	3	5	7	9	4	2	8
9	4	7	2	8	3	1	5	6
5	2	8	1	4	6	9	3	7
7	8	4	3	5	2	6	1	9
6	5	1	4	9	8	2	7	3
3	9	2	6	1	7	5	8	4

SUDOKU #38

1	6	4	9	8	5	7	2	3
2	8	5	3	7	4	1	6	9
3	7	9	2	1	6	4	8	5
8	5	7	6	4	9	2	3	1
9	2	6	5	3	1	8	7	4
4	1	3	7	2	8	5	9	6
6	4	1	8	9	7	3	5	2
7	9	2	4	5	3	6	1	8
5	3	8	1	6	2	9	4	7

SUDOKU #39

3	5	4	9	2	7	8	6	1
9	2	8	1	6	5	7	3	4
7	1	6	3	4	8	9	2	5
8	9	1	4	3	6	5	7	2
4	6	5	7	9	2	3	1	8
2	3	7	8	5	1	4	9	6
5	4	3	6	1	9	2	8	7
1	7	2	5	8	3	6	4	9
6	8	9	2	7	4	1	5	3

SUDOKU #40

6	8	5	4	1	9	7	3	2
9	1	3	7	2	5	8	6	4
2	7	4	8	6	3	5	1	9
4	5	8	6	9	2	1	7	3
7	6	1	3	5	4	9	2	8
3	9	2	1	8	7	4	5	6
5	4	6	9	3	1	2	8	7
8	2	9	5	7	6	3	4	1
1	3	7	2	4	8	6	9	5

SUDOKU #41

3	2	1	9	6	4	5	8	7
7	8	5	1	3	2	9	6	4
6	4	9	8	7	5	2	1	3
4	9	3	6	5	7	8	2	1
2	1	7	4	8	9	6	3	5
5	6	8	2	1	3	4	7	9
9	7	4	3	2	8	1	5	6
8	5	6	7	4	1	3	9	2
1	3	2	5	9	6	7	4	8

SUDOKU #42

9	1	7	6	2	4	5	8	3
6	4	5	3	8	1	2	7	9
2	3	8	7	9	5	4	6	1
1	8	6	5	3	7	9	2	4
5	9	4	2	1	6	8	3	7
7	2	3	9	4	8	6	1	5
8	7	9	1	5	2	3	4	6
3	6	2	4	7	9	1	5	8
4	5	1	8	6	3	7	9	2

SUDOKU #43

1	7	5	3	4	9	6	8	2
3	2	6	8	5	7	9	4	1
9	8	4	2	6	1	5	7	3
8	9	1	6	7	2	3	5	4
5	6	7	1	3	4	8	2	9
4	3	2	5	9	8	1	6	7
2	5	9	4	8	3	7	1	6
6	4	3	7	1	5	2	9	8
7	1	8	9	2	6	4	3	5

SUDOKU #44

2	4	6	3	8	7	1	5	9
3	5	8	2	1	9	4	7	6
1	9	7	4	5	6	3	2	8
5	3	2	8	7	4	6	9	1
9	8	1	6	2	3	7	4	5
7	6	4	5	9	1	8	3	2
6	2	9	7	3	8	5	1	4
4	7	5	1	6	2	9	8	3
8	1	3	9	4	5	2	6	7

SUDOKU #45

8	7	2	1	6	3	9	5	4
5	6	9	4	2	7	8	1	3
4	3	1	5	9	8	2	7	6
7	4	6	8	3	1	5	9	2
9	8	5	6	7	2	4	3	1
1	2	3	9	4	5	6	8	7
3	1	4	2	5	9	7	6	8
2	5	7	3	8	6	1	4	9
6	9	8	7	1	4	3	2	5

SUDOKU #46

6	5	8	7	4	3	2	1	9
2	7	3	1	5	9	6	8	4
9	1	4	2	6	8	7	3	5
1	4	9	8	2	6	5	7	3
7	6	5	3	1	4	8	9	2
8	3	2	9	7	5	1	4	6
4	9	6	5	8	7	3	2	1
3	8	1	6	9	2	4	5	7
5	2	7	4	3	1	9	6	8

SUDOKU #47

5	3	4	2	8	6	7	9	1
1	9	8	5	7	3	6	2	4
2	7	6	4	1	9	5	3	8
6	8	2	7	3	5	4	1	9
3	4	1	6	9	8	2	5	7
9	5	7	1	2	4	3	8	6
4	1	3	8	6	2	9	7	5
8	6	9	3	5	7	1	4	2
7	2	5	9	4	1	8	6	3

SUDOKU #48

9	3	1	2	8	5	7	6	4
5	2	8	4	6	7	9	3	1
4	7	6	9	1	3	2	5	8
6	5	2	1	4	9	3	8	7
3	8	7	6	5	2	4	1	9
1	9	4	7	3	8	6	2	5
2	4	3	5	9	1	8	7	6
7	6	5	8	2	4	1	9	3
8	1	9	3	7	6	5	4	2

SUDOKU #49

4	3	6	5	2	7	8	1	9
7	1	9	6	3	8	5	2	4
5	2	8	1	9	4	3	6	7
1	6	5	7	4	3	2	9	8
8	4	7	9	5	2	1	3	6
3	9	2	8	1	6	4	7	5
9	5	4	3	6	1	7	8	2
6	8	3	2	7	5	9	4	1
2	7	1	4	8	9	6	5	3

SUDOKU #50

2	6	8	1	4	3	7	9	5
7	5	4	8	9	6	1	3	2
1	3	9	7	2	5	4	8	6
8	1	6	3	7	9	2	5	4
5	4	7	6	8	2	3	1	9
3	9	2	5	1	4	8	6	7
4	7	1	9	6	8	5	2	3
9	8	5	2	3	7	6	4	1
6	2	3	4	5	1	9	7	8

SUDOKU #51

1	6	7	4	3	2	9	8	5
4	3	2	5	9	8	7	1	6
5	9	8	6	1	7	3	4	2
8	1	6	7	2	4	5	9	3
7	2	9	1	5	3	8	6	4
3	5	4	8	6	9	2	7	1
9	7	5	2	4	1	6	3	8
2	8	1	3	7	6	4	5	9
6	4	3	9	8	5	1	2	7

SUDOKU #52

5	1	6	3	4	8	9	7	2
9	7	4	2	1	5	3	8	6
3	2	8	9	7	6	4	5	1
2	9	3	6	8	4	5	1	7
6	8	1	5	3	7	2	4	9
4	5	7	1	9	2	6	3	8
7	3	2	8	5	9	1	6	4
1	4	9	7	6	3	8	2	5
8	6	5	4	2	1	7	9	3

SUDOKU #53

5	8	2	1	6	7	4	3	9
7	6	4	8	3	9	1	2	5
1	9	3	5	4	2	7	6	8
4	1	9	6	7	5	2	8	3
8	7	5	3	2	1	6	9	4
3	2	6	9	8	4	5	1	7
6	4	1	7	9	8	3	5	2
9	5	7	2	1	3	8	4	6
2	3	8	4	5	6	9	7	1

SUDOKU #54

2	6	8	4	3	5	1	9	7
4	3	7	2	9	1	5	8	6
5	9	1	6	7	8	4	2	3
3	1	9	7	4	6	8	5	2
7	2	5	1	8	3	9	6	4
8	4	6	5	2	9	7	3	1
6	8	3	9	1	7	2	4	5
9	7	2	3	5	4	6	1	8
1	5	4	8	6	2	3	7	9

SUDOKU #55

4	8	3	7	5	2	9	1	6
6	2	5	9	1	4	7	8	3
1	7	9	6	8	3	2	5	4
5	1	6	4	9	8	3	2	7
8	4	2	1	3	7	6	9	5
9	3	7	2	6	5	8	4	1
3	5	4	8	7	9	1	6	2
2	9	1	3	4	6	5	7	8
7	6	8	5	2	1	4	3	9

SUDOKU #56

2	9	4	6	5	8	1	7	3
5	8	3	1	9	7	6	4	2
6	7	1	3	4	2	5	8	9
4	2	5	9	7	3	8	1	6
8	1	9	5	6	4	3	2	7
3	6	7	8	2	1	9	5	4
1	5	2	7	3	6	4	9	8
9	4	6	2	8	5	7	3	1
7	3	8	4	1	9	2	6	5

SUDOKU #57

3	9	8	1	5	6	7	4	2
1	6	5	2	7	4	3	9	8
7	2	4	9	8	3	5	6	1
2	8	3	4	6	7	9	1	5
4	7	9	8	1	5	2	3	6
5	1	6	3	9	2	8	7	4
8	3	1	5	4	9	6	2	7
9	4	7	6	2	8	1	5	3
6	5	2	7	3	1	4	8	9

SUDOKU #58

4	6	5	1	8	3	9	2	7
8	9	1	2	7	6	3	5	4
2	7	3	9	5	4	1	8	6
1	2	4	3	9	7	8	6	5
3	8	7	6	2	5	4	9	1
9	5	6	8	4	1	2	7	3
5	4	8	7	3	2	6	1	9
7	1	2	4	6	9	5	3	8
6	3	9	5	1	8	7	4	2

SUDOKU #59

3	8	7	1	9	2	6	5	4
4	5	9	7	3	6	2	1	8
2	1	6	4	8	5	3	9	7
7	9	1	3	2	8	5	4	6
8	3	5	6	1	4	9	7	2
6	4	2	9	5	7	1	8	3
9	2	3	8	7	1	4	6	5
5	7	4	2	6	9	8	3	1
1	6	8	5	4	3	7	2	9

SUDOKU #60

3	5	6	4	8	1	2	9	7
9	2	7	3	6	5	4	1	8
4	8	1	7	2	9	5	3	6
2	6	9	8	5	3	1	7	4
8	7	4	9	1	2	3	6	5
1	3	5	6	4	7	9	8	2
7	4	2	1	3	6	8	5	9
6	1	8	5	9	4	7	2	3
5	9	3	2	7	8	6	4	1

SUDOKU #61

3	8	4	2	7	9	5	1	6
1	6	7	8	5	3	2	9	4
5	9	2	1	6	4	7	3	8
9	1	6	5	8	2	4	7	3
2	3	8	4	1	7	6	5	9
4	7	5	3	9	6	1	8	2
7	5	3	6	2	8	9	4	1
8	2	9	7	4	1	3	6	5
6	4	1	9	3	5	8	2	7

SUDOKU #62

3	1	5	7	9	8	2	6	4
6	4	7	5	1	2	9	3	8
9	8	2	3	6	4	5	7	1
4	5	9	1	8	6	7	2	3
1	7	3	9	2	5	4	8	6
8	2	6	4	3	7	1	9	5
5	9	8	6	7	1	3	4	2
7	6	1	2	4	3	8	5	9
2	3	4	8	5	9	6	1	7

SUDOKU #63

1	5	7	8	3	9	2	6	4
3	9	8	2	6	4	1	5	7
2	6	4	1	5	7	3	9	8
8	3	5	7	2	1	9	4	6
7	2	9	6	4	5	8	1	3
4	1	6	9	8	3	7	2	5
5	4	1	3	7	2	6	8	9
9	8	3	4	1	6	5	7	2
6	7	2	5	9	8	4	3	1

SUDOKU #64

8	7	4	3	5	2	9	6	1
2	3	1	4	6	9	7	5	8
5	6	9	1	7	8	4	2	3
4	8	7	2	3	6	1	9	5
6	9	5	7	8	1	2	3	4
3	1	2	9	4	5	8	7	6
7	4	8	6	9	3	5	1	2
1	5	6	8	2	7	3	4	9
9	2	3	5	1	4	6	8	7

SUDOKU #65

1	5	4	3	8	9	2	7	6
6	2	3	1	4	7	8	9	5
7	8	9	6	2	5	1	4	3
9	1	8	5	7	3	6	2	4
3	7	5	2	6	4	9	1	8
2	4	6	9	1	8	3	5	7
5	9	2	4	3	6	7	8	1
8	3	1	7	5	2	4	6	9
4	6	7	8	9	1	5	3	2

SUDOKU #66

1	3	5	7	4	8	9	2	6
8	7	9	1	6	2	5	3	4
6	2	4	5	3	9	7	8	1
9	1	3	2	8	7	4	6	5
7	4	8	6	1	5	3	9	2
2	5	6	4	9	3	8	1	7
3	6	7	8	2	4	1	5	9
4	8	2	9	5	1	6	7	3
5	9	1	3	7	6	2	4	8

SUDOKU #67

9	1	7	5	6	4	3	2	8
4	2	6	1	8	3	7	9	5
8	5	3	9	7	2	4	6	1
1	3	2	4	5	6	8	7	9
5	7	8	2	1	9	6	4	3
6	9	4	8	3	7	1	5	2
2	8	1	6	4	5	9	3	7
3	6	5	7	9	1	2	8	4
7	4	9	3	2	8	5	1	6

SUDOKU #68

6	9	8	2	5	3	4	1	7
2	3	5	4	7	1	9	6	8
4	1	7	9	6	8	3	2	5
3	2	1	6	4	7	5	8	9
7	6	9	8	3	5	2	4	1
8	5	4	1	2	9	7	3	6
9	8	2	5	1	4	6	7	3
1	7	6	3	9	2	8	5	4
5	4	3	7	8	6	1	9	2

SUDOKU #69

7	4	3	9	6	1	8	2	5
5	1	9	2	4	8	6	7	3
2	8	6	7	3	5	4	9	1
4	2	7	8	9	3	5	1	6
3	6	1	5	7	2	9	4	8
9	5	8	6	1	4	2	3	7
8	7	4	1	2	6	3	5	9
1	3	5	4	8	9	7	6	2
6	9	2	3	5	7	1	8	4

SUDOKU #70

9	7	3	1	4	5	2	6	8
4	5	8	3	6	2	1	9	7
1	2	6	9	7	8	4	5	3
3	9	1	7	5	4	6	8	2
6	4	5	8	2	9	7	3	1
7	8	2	6	3	1	5	4	9
8	6	9	4	1	7	3	2	5
5	3	7	2	9	6	8	1	4
2	1	4	5	8	3	9	7	6

SUDOKU #71

1	7	6	5	3	2	8	4	9
8	9	3	1	4	7	5	6	2
4	5	2	8	6	9	7	1	3
7	6	8	3	5	1	2	9	4
9	4	1	7	2	8	6	3	5
2	3	5	4	9	6	1	7	8
6	1	4	2	8	3	9	5	7
3	8	9	6	7	5	4	2	1
5	2	7	9	1	4	3	8	6

SUDOKU #72

2	8	9	5	4	6	1	7	3
5	1	4	8	7	3	6	2	9
3	6	7	2	9	1	8	5	4
8	9	1	4	6	5	7	3	2
6	2	3	7	8	9	5	4	1
4	7	5	1	3	2	9	6	8
9	3	8	6	5	4	2	1	7
1	4	6	9	2	7	3	8	5
7	5	2	3	1	8	4	9	6

SUDOKU #73

6	4	8	3	7	1	2	9	5
1	7	5	2	9	6	3	4	8
3	9	2	8	5	4	1	6	7
9	5	6	1	3	7	4	8	2
2	1	7	4	6	8	5	3	9
8	3	4	5	2	9	7	1	6
5	6	9	7	1	3	8	2	4
4	2	3	9	8	5	6	7	1
7	8	1	6	4	2	9	5	3

SUDOKU #74

5	7	8	2	9	4	6	3	1
9	2	6	3	1	5	4	8	7
4	3	1	6	8	7	2	9	5
1	6	3	5	2	9	7	4	8
7	8	9	1	4	3	5	2	6
2	4	5	7	6	8	3	1	9
6	5	2	9	3	1	8	7	4
8	1	7	4	5	2	9	6	3
3	9	4	8	7	6	1	5	2

SUDOKU #75

3	1	5	6	2	4	9	7	8
7	6	8	5	9	3	2	4	1
4	9	2	7	8	1	6	5	3
1	8	9	2	7	5	3	6	4
5	2	3	9	4	6	1	8	7
6	7	4	1	3	8	5	2	9
9	5	1	4	6	7	8	3	2
8	4	6	3	1	2	7	9	5
2	3	7	8	5	9	4	1	6

SUDOKU #76

6	3	7	5	9	4	1	8	2
5	4	8	2	1	6	9	7	3
2	1	9	7	3	8	5	4	6
4	9	2	6	7	5	3	1	8
1	5	6	9	8	3	7	2	4
7	8	3	4	2	1	6	9	5
9	7	4	3	5	2	8	6	1
8	2	5	1	6	9	4	3	7
3	6	1	8	4	7	2	5	9

SUDOKU #77

4	9	8	3	5	7	1	6	2
2	6	3	8	1	9	7	5	4
1	5	7	2	6	4	9	3	8
7	4	5	9	2	3	8	1	6
8	1	9	4	7	6	3	2	5
3	2	6	5	8	1	4	7	9
9	7	4	6	3	5	2	8	1
5	8	1	7	9	2	6	4	3
6	3	2	1	4	8	5	9	7

SUDOKU #78

5	7	1	8	3	9	2	6	4
6	4	9	2	1	5	7	8	3
2	3	8	7	6	4	5	1	9
3	5	6	1	8	7	9	4	2
9	2	7	4	5	6	1	3	8
8	1	4	9	2	3	6	5	7
7	6	2	3	4	1	8	9	5
4	9	5	6	7	8	3	2	1
1	8	3	5	9	2	4	7	6

SUDOKU #79

6	5	7	4	8	2	1	3	9
2	4	1	9	5	3	6	7	8
8	3	9	7	6	1	2	4	5
9	2	5	6	3	4	8	1	7
3	6	8	1	7	5	4	9	2
7	1	4	8	2	9	3	5	6
4	7	2	3	9	8	5	6	1
1	8	6	5	4	7	9	2	3
5	9	3	2	1	6	7	8	4

SUDOKU #80

6	8	7	2	5	4	1	9	3
2	5	3	9	1	6	4	7	8
4	9	1	7	3	8	2	5	6
5	2	6	8	9	1	7	3	4
9	7	4	3	6	2	8	1	5
3	1	8	4	7	5	9	6	2
1	3	2	6	8	9	5	4	7
7	4	5	1	2	3	6	8	9
8	6	9	5	4	7	3	2	1

SUDOKU #81

4	5	1	3	6	9	8	7	2
9	7	2	8	1	5	6	3	4
6	3	8	7	4	2	9	1	5
7	2	4	9	5	6	3	8	1
8	1	9	2	3	4	7	5	6
5	6	3	1	7	8	2	4	9
2	4	5	6	8	3	1	9	7
3	9	7	4	2	1	5	6	8
1	8	6	5	9	7	4	2	3

SUDOKU #82

9	4	3	7	8	2	6	1	5
2	5	7	6	1	3	4	9	8
1	8	6	9	4	5	7	3	2
7	3	4	5	6	9	8	2	1
8	9	2	3	7	1	5	4	6
6	1	5	8	2	4	3	7	9
3	7	9	2	5	8	1	6	4
4	6	8	1	9	7	2	5	3
5	2	1	4	3	6	9	8	7

SUDOKU #83

5	6	7	9	3	4	2	1	8
9	4	3	1	2	8	5	6	7
1	2	8	6	5	7	9	4	3
2	7	1	3	6	5	8	9	4
8	3	9	4	7	2	1	5	6
6	5	4	8	9	1	7	3	2
7	9	6	5	8	3	4	2	1
3	1	2	7	4	9	6	8	5
4	8	5	2	1	6	3	7	9

SUDOKU #84

9	1	6	5	3	8	2	7	4
2	7	8	1	4	6	9	5	3
4	5	3	9	7	2	1	6	8
3	9	1	4	6	5	7	8	2
8	6	2	3	9	7	5	4	1
7	4	5	2	8	1	3	9	6
1	2	9	8	5	4	6	3	7
6	3	4	7	2	9	8	1	5
5	8	7	6	1	3	4	2	9

SUDOKU #85

8	5	6	4	7	9	1	3	2
7	1	9	5	3	2	4	8	6
3	4	2	8	1	6	7	9	5
5	2	1	9	4	7	8	6	3
4	9	3	6	5	8	2	7	1
6	7	8	3	2	1	9	5	4
1	3	5	7	9	4	6	2	8
2	6	7	1	8	5	3	4	9
9	8	4	2	6	3	5	1	7

SUDOKU #86

2	5	3	8	7	9	4	1	6
1	8	6	4	5	3	7	2	9
4	9	7	6	1	2	8	5	3
8	7	2	3	9	5	1	6	4
5	4	9	7	6	1	3	8	2
6	3	1	2	8	4	5	9	7
9	2	8	5	3	7	6	4	1
7	1	5	9	4	6	2	3	8
3	6	4	1	2	8	9	7	5

SUDOKU #87

4	2	3	9	5	8	1	6	7
6	9	1	7	4	3	2	8	5
7	5	8	2	1	6	4	3	9
2	8	5	6	7	1	3	9	4
3	4	7	8	9	2	5	1	6
9	1	6	5	3	4	8	7	2
5	6	4	3	8	7	9	2	1
8	7	9	1	2	5	6	4	3
1	3	2	4	6	9	7	5	8

SUDOKU #88

6	7	3	4	8	5	9	2	1
1	9	2	3	6	7	4	5	8
5	4	8	2	9	1	3	6	7
4	2	9	1	3	8	6	7	5
8	6	7	5	2	4	1	3	9
3	1	5	9	7	6	2	8	4
2	5	4	8	1	3	7	9	6
9	8	6	7	4	2	5	1	3
7	3	1	6	5	9	8	4	2

SUDOKU #89

4	5	8	1	2	6	7	3	9
7	3	2	9	4	8	1	6	5
1	6	9	7	3	5	4	8	2
5	1	4	6	7	2	8	9	3
8	9	3	5	1	4	6	2	7
6	2	7	8	9	3	5	1	4
3	7	5	2	6	1	9	4	8
9	4	6	3	8	7	2	5	1
2	8	1	4	5	9	3	7	6

SUDOKU #90

2	5	4	9	7	3	8	1	6
1	9	3	8	6	5	4	2	7
8	6	7	1	4	2	9	3	5
3	4	6	5	1	8	2	7	9
5	2	8	7	3	9	1	6	4
7	1	9	6	2	4	3	5	8
4	7	5	2	8	1	6	9	3
6	3	1	4	9	7	5	8	2
9	8	2	3	5	6	7	4	1

SUDOKU #91

2	3	9	5	7	1	4	6	8
5	6	8	2	9	4	1	3	7
1	7	4	6	8	3	2	9	5
8	1	6	3	4	7	9	5	2
4	5	2	9	1	6	8	7	3
7	9	3	8	5	2	6	4	1
9	8	7	4	2	5	3	1	6
3	2	1	7	6	9	5	8	4
6	4	5	1	3	8	7	2	9

SUDOKU #92

8	4	1	5	6	7	3	2	9
7	3	2	4	8	9	6	1	5
6	5	9	1	3	2	4	8	7
5	6	8	9	1	4	7	3	2
2	9	7	3	5	8	1	4	6
3	1	4	7	2	6	5	9	8
9	8	3	6	4	5	2	7	1
4	2	5	8	7	1	9	6	3
1	7	6	2	9	3	8	5	4

SUDOKU #93

6	3	5	7	4	1	2	8	9
2	1	8	9	6	3	7	5	4
9	7	4	8	2	5	6	1	3
3	5	1	4	8	2	9	6	7
7	2	6	5	3	9	1	4	8
8	4	9	1	7	6	5	3	2
5	8	7	2	1	4	3	9	6
1	6	2	3	9	8	4	7	5
4	9	3	6	5	7	8	2	1

SUDOKU #94

3	9	1	5	4	2	7	6	8
6	5	8	7	9	1	4	2	3
7	2	4	3	6	8	9	5	1
1	7	9	8	2	5	6	3	4
5	3	6	1	7	4	8	9	2
4	8	2	9	3	6	1	7	5
8	6	3	4	5	7	2	1	9
9	4	7	2	1	3	5	8	6
2	1	5	6	8	9	3	4	7

SUDOKU #95

7	4	6	2	1	9	8	5	3
9	2	8	7	5	3	4	6	1
5	1	3	4	8	6	9	2	7
4	9	2	3	7	1	6	8	5
1	8	5	6	9	4	7	3	2
3	6	7	5	2	8	1	4	9
2	3	4	9	6	7	5	1	8
8	5	9	1	4	2	3	7	6
6	7	1	8	3	5	2	9	4

SUDOKU #96

4	8	5	3	2	9	6	1	7
3	2	6	1	7	4	5	8	9
7	9	1	6	8	5	3	2	4
6	5	7	9	3	1	8	4	2
8	4	9	7	6	2	1	3	5
1	3	2	4	5	8	9	7	6
5	7	4	8	9	3	2	6	1
9	1	8	2	4	6	7	5	3
2	6	3	5	1	7	4	9	8

SUDOKU #97

2	5	7	9	8	6	1	4	3
6	4	3	2	5	1	9	7	8
9	8	1	7	3	4	5	2	6
8	6	5	1	9	2	4	3	7
4	7	9	5	6	3	8	1	2
1	3	2	4	7	8	6	9	5
3	2	6	8	4	9	7	5	1
7	1	4	6	2	5	3	8	9
5	9	8	3	1	7	2	6	4

SUDOKU #98

9	2	7	5	4	8	1	6	3
5	1	6	3	7	2	4	8	9
3	4	8	9	6	1	5	7	2
2	5	9	1	3	7	6	4	8
7	3	4	6	8	5	9	2	1
6	8	1	2	9	4	7	3	5
1	7	5	4	2	3	8	9	6
4	9	3	8	5	6	2	1	7
8	6	2	7	1	9	3	5	4

SUDOKU #99

1	4	5	6	8	2	9	7	3
6	7	2	4	3	9	1	8	5
3	8	9	1	5	7	4	6	2
9	1	7	2	4	6	3	5	8
5	6	3	8	7	1	2	9	4
8	2	4	5	9	3	7	1	6
7	5	1	3	2	8	6	4	9
2	9	8	7	6	4	5	3	1
4	3	6	9	1	5	8	2	7

SUDOKU #100

1	8	2	5	7	4	9	6	3
6	9	4	3	8	2	7	5	1
3	7	5	6	9	1	4	8	2
8	5	9	7	3	6	2	1	4
2	3	7	1	4	8	6	9	5
4	6	1	2	5	9	8	3	7
5	4	8	9	2	3	1	7	6
7	2	6	8	1	5	3	4	9
9	1	3	4	6	7	5	2	8

SUDOKU #101

2	4	7	6	8	3	1	9	5
3	8	6	5	1	9	2	4	7
9	1	5	2	7	4	3	8	6
6	7	4	3	9	2	5	1	8
5	2	3	1	6	8	9	7	4
8	9	1	7	4	5	6	2	3
4	6	8	9	5	1	7	3	2
7	3	9	4	2	6	8	5	1
1	5	2	8	3	7	4	6	9

SUDOKU #102

3	2	5	6	7	4	1	9	8
6	8	9	5	2	1	4	7	3
4	7	1	3	9	8	5	2	6
8	1	7	9	4	6	2	3	5
2	9	3	8	1	5	7	6	4
5	6	4	7	3	2	9	8	1
1	3	8	2	5	7	6	4	9
7	5	6	4	8	9	3	1	2
9	4	2	1	6	3	8	5	7

SUDOKU #103

1	5	4	6	7	9	2	3	8
2	9	8	3	1	5	7	6	4
3	6	7	8	2	4	1	9	5
4	7	2	1	6	3	8	5	9
8	1	6	9	5	7	3	4	2
5	3	9	4	8	2	6	7	1
9	8	1	7	4	6	5	2	3
6	4	5	2	3	8	9	1	7
7	2	3	5	9	1	4	8	6

SUDOKU #104

5	3	7	1	8	2	6	9	4
4	2	8	6	3	9	5	1	7
1	9	6	4	7	5	8	3	2
3	5	4	8	2	1	9	7	6
7	6	2	3	9	4	1	8	5
8	1	9	7	5	6	2	4	3
6	4	3	2	1	8	7	5	9
2	8	5	9	4	7	3	6	1
9	7	1	5	6	3	4	2	8

SUDOKU #105

2	4	3	5	7	8	1	6	9
7	8	5	6	1	9	3	2	4
6	9	1	2	4	3	7	8	5
4	2	9	3	8	7	6	5	1
1	6	8	4	2	5	9	7	3
3	5	7	9	6	1	2	4	8
9	3	2	7	5	4	8	1	6
5	1	6	8	3	2	4	9	7
8	7	4	1	9	6	5	3	2

SUDOKU #106

7	5	4	3	8	6	9	2	1
2	8	3	9	1	5	7	4	6
9	1	6	2	7	4	5	8	3
1	9	8	5	6	3	2	7	4
6	4	5	1	2	7	8	3	9
3	2	7	8	4	9	6	1	5
5	7	2	4	9	1	3	6	8
8	3	1	6	5	2	4	9	7
4	6	9	7	3	8	1	5	2

SUDOKU #107

3	5	8	7	6	4	2	1	9
1	2	9	3	8	5	7	6	4
7	4	6	9	1	2	8	5	3
9	1	7	5	2	6	3	4	8
5	8	3	4	9	1	6	2	7
4	6	2	8	7	3	5	9	1
6	7	1	2	3	9	4	8	5
2	3	5	1	4	8	9	7	6
8	9	4	6	5	7	1	3	2

SUDOKU #108

4	1	7	9	6	2	8	3	5
9	5	6	4	8	3	7	1	2
8	2	3	7	5	1	6	9	4
6	4	5	1	9	7	2	8	3
3	9	1	6	2	8	4	5	7
2	7	8	3	4	5	1	6	9
1	6	4	2	3	9	5	7	8
7	8	9	5	1	4	3	2	6
5	3	2	8	7	6	9	4	1

SUDOKU #109

6	8	4	2	9	5	7	1	3
7	9	5	1	3	8	4	6	2
1	3	2	7	4	6	9	5	8
5	2	9	6	8	1	3	4	7
8	1	6	4	7	3	2	9	5
4	7	3	9	5	2	1	8	6
2	4	8	3	6	9	5	7	1
3	5	7	8	1	4	6	2	9
9	6	1	5	2	7	8	3	4

SUDOKU #110

1	7	5	6	8	9	4	2	3
4	6	9	2	7	3	5	1	8
8	3	2	5	4	1	9	7	6
7	5	1	3	9	4	8	6	2
9	2	3	8	1	6	7	4	5
6	4	8	7	5	2	3	9	1
5	1	7	9	6	8	2	3	4
3	9	6	4	2	5	1	8	7
2	8	4	1	3	7	6	5	9

SUDOKU #111

4	8	2	6	3	7	1	9	5
1	5	9	2	8	4	7	6	3
7	6	3	1	9	5	4	2	8
5	3	1	9	7	6	2	8	4
8	9	4	5	2	1	3	7	6
6	2	7	3	4	8	9	5	1
2	1	5	4	6	9	8	3	7
3	7	6	8	1	2	5	4	9
9	4	8	7	5	3	6	1	2

SUDOKU #112

9	7	8	6	3	5	1	4	2
3	6	1	2	8	4	5	7	9
5	4	2	9	1	7	3	6	8
2	5	9	1	6	3	4	8	7
6	8	7	5	4	2	9	1	3
4	1	3	7	9	8	6	2	5
1	2	5	3	7	6	8	9	4
7	9	4	8	5	1	2	3	6
8	3	6	4	2	9	7	5	1

SUDOKU #113

9	7	3	1	5	6	4	2	8
2	5	4	7	8	3	1	6	9
1	6	8	2	9	4	3	7	5
4	3	9	6	2	8	7	5	1
5	2	7	4	1	9	6	8	3
6	8	1	3	7	5	2	9	4
3	9	2	5	6	1	8	4	7
7	1	5	8	4	2	9	3	6
8	4	6	9	3	7	5	1	2